名探偵コナン
世良真純セレクション

酒井 匙／著　青山剛昌／原作・イラスト

★小学館ジュニア文庫★

幽霊ホテルの推理対決

DETECTIVE CONAN

MASUMI SERA SELECTION

週末のある日。

江戸川コナンは、毛利蘭、鈴木園子と共に、路線バスに乗車していた。車内はそこそこに混雑していて、三人とも通路に立っている。

「でも蘭ってホント無敵だよねーー！」

園子の明るい声が、車内に響きわたった。

「マジで空手の関東大会で優勝しちゃうんだもん！」

親友から手放しで褒められ、蘭は照れて頬を赤くしながら、

「数美先輩に教えてもらった胴廻し回転蹴りのお陰だよ！」

と、謙遜しつつも声を弾ませた。

数美先輩というのは、帝丹高校三年の塚本数美のこと。空手部の前主将で、日頃から蘭にいろいろな技を教えてくれた人物だ。

ただでさえ空手の強い蘭だったが、数美の手ほどきを受けたことによりさらに強さに磨きがかかり、関東大会で優勝するほどになったのだ。コナンは二人の会話を聞きながら、

(相手の女子が気の毒だな…)

と、蘭の対戦相手に同情してしまった。

「んじゃ、今日は、約束通り杯戸ホテルのケーキバイキングおごってあげるから、強くなるのよ！」

園子に言われ、蘭はテンション高く「うんうん！」とうなずいた。

「いっぱい食べて、もっともっと強くなる〜！」

しかし、ケーキをいっぱい食べることで、空手がもっと強くなるのだろうか？　むしろ……（太るんじゃねーか？）と、コナンは内心で突っ込みを入れた。

園子はニヤリとすると、さらに楽しげな表情になって「んで？」と蘭の方へ顔を寄せた。

「新一君は何て言ってた？　優勝報告のついでに例の返事言ったんでしょ？」

「え？」

「ホラ！」と、園子がじれったそうにする。

「ロンドンで告られたヤツの返事よ、返事！」

実は蘭は、関東大会の前に行ったイギリスのロンドンで、新一から告白されていたのだ。

「ゆ、優勝したのは伝えたけど…」

蘭が恥ずかしそうな表情になる。

「あ、あの返事はまだっていうか…優勝報告もメールでしちゃったし…。な、何か直接話しづらいかなーって…」

はっきりしない蘭の様子に、園子は「ぬぁにやってんのよあんた!?」と声を荒らげた。

「あれから何日たったと思ってんの!?」

「で、でもきっかけが…」

蘭はもにょもにょと言葉を濁そうとするが、園子は逃がさない。

「きっと新一君、今頃…『あぁ…蘭のヤツ、何故俺の気持ちに応えてくれないんだ？　まさか他に愛しい人でもいるのではあるまいか…おおお…もしそうだとしたら破滅だ!!　泣くしかない！　この涙が枯れ果てるまで…』な――んて思い詰めてるかもよ？」

頭を抱えたり、空を仰いだりと、身振り手振りつきの演技をしてみせる園子に、蘭は「まさかぁ…」と苦笑いした。

園子の大げさな演技を見て、コナンは（――ってかオレ、そんなかよ？）と心外に思っていた。

「ボヤボヤしてると、新一君心移りしちゃうよ！」

園子がそう忠告すると、蘭は「え？」と少し戸惑った表情を浮かべた。

「彼、性格あんなだけど意外にモテるしさー！」

（あんなって…）と、コナンが心の中でつぶやく。

園子はウィンクすると、ニッと蘭に笑いかけた。

「ある日突然、強力なライバルが現れちゃうかもしれないわよん♡」

そう言った途端、園子ははっとしたように動きを止めた。次の瞬間、後ろに立っていた乗客の手首をつかみ、振り返りながらいきおいよく持ち上げる。

園子に手首をつかまれたのは、同い年くらいの、細身の男の子だった。帽子を目深にかぶっているため、顔はよくわからない。男の子は、突然の園子の行動に「え？」と慌てた様子だ。

「チカン!!　この人チカンです!!」

園子が、車内中に響きわたる大声で叫んだ。

「あ、いやボクは…」

男の子が何か言いかけるが、園子は聞こうとしない。

「しらばっくれちゃって〜〜！　今、オシリ触ってたじゃない!!　蘭！　懲らしめちゃお！」

園子に言われ、蘭は「うん！」とうなずいた。男の子は「あ、ちょっ…」と、なおも制止しようとするが、蘭の耳には届いていないようだ。

「アァァア…」

蘭は、気合を入れながら右足を後ろに引いた。そのまま、鋭い蹴りを繰り出そうとする
――が、相手が一瞬早く、蘭の右膝をトンと足で軽く押す。すると、それだけで、蘭は蹴りを放てなくなってしまった。

(え？)

思いがけない反撃を受けてひるんだところへ、彼は左の拳をいきおいよく突き出した。

ビュオ！

繰り出された突きを、蘭は右に避けて何とかかわした。しかし男の子は間髪入れず、今度は右足を高く上げて蹴りかかってくる。

蘭は左腕でガードして、攻撃を受け止めようとしたが――、

(受けたらヤバイ!!)

咄嗟の判断で、攻撃を受け止めるのではなく、かわすことにした。身体を後ろに反らしてギリギリのところでなんとか避け、一回転して着地する。

「さすが関東一…」

蘭の素早い反応を見て、男の子は楽しげにつぶやいた。

「やるじゃん！」

トントンと足を踏み鳴らしながら、男の子は余裕のある表情を浮かべる。

その動作を見て、蘭はすぐにピンときた。この格闘技は――、

(截拳道!!)

「ら、蘭…」

「園子離れて…このチカン強いよ…」

「あ――それは弁解させてくれ！」

男の子が急に慌てた口調になって言う。

「ボクは断じて…」

「チカンじゃないよ、その人！」

コナンが、蘭の背後から口を挟んだ。「え？」と蘭が視線を向ける。

「だってボク見てたもん！　園子姉ちゃんのオシリを触ってた手をその人がつかむトコ…。んで、その人の手を園子姉ちゃんがつかんじゃったってわけ！」

「これね…」

男の子が、右手でつかまえていた別の乗客――キャップをかぶった小柄な男――の手首を

持ち上げた。蘭と戦っている間もずっと、男の子はチカンの手首をつかみ続けていたのだった。

チカンは大慌てで「あ、いや…」と言い訳しようとするが、もう遅い。

「じゃあチカンはアンタなのね…」

怒りの形相を浮かべた園子が、ずいっと迫る。

「すみませんでしたぁ!!」

チカンは泡を食って謝りながら、バスを降りて逃げ出してしまった。その後ろ姿を追いかけるように、園子の怒鳴り声が響く。

「おととい来やがれ、バ――カ!!」

逃げていった男がチカンだったということは、蘭と戦ったあの男の子は無実だったことになる。それどころか、どうやら園子をチカンから守ろうとしてくれていたようだ。

「ご、ごめんなさい!　よく確かめずに蹴りかかっちゃって…」

蘭はアワアワと男の子に頭を下げた。その隣で、園子は男の子の顔をまじまじと見つめ、

(よく見たらイケメン♡)

と、のんきに頬を赤くしている。

「大丈夫、大丈夫！　誤解が解けてなによりだ！」

男の子は気を悪くしたそぶりもなく明るく言うと、「それに…」と声を一段低くして蘭の顔をのぞき込んだ。

「君、ボクのタイプだから…許してあげる…」

なんてキザなセリフだろう。コナンは（な、何だコイツゥ〜⁉）と度肝を抜かれてしまった。一方で率直な好意を向けられた蘭は、驚きのためか瞳をわずかにうるませている。

「なーんて…」

男の子は冗談めかすと、「どこ行くの？」と蘭に微笑みかけた。

「は、杯戸ホテルに…」

おずおずと答える蘭の後ろで、園子は（チカンされたのわたしなのにィ…）と悔しがっていた。イケメンの彼が園子ではなく蘭を口説いたので、ガッカリしてしまったらしい。

蘭の答えを聞いた男の子は、ニッコリした。

「奇遇だね！　ボクもそのホテルに行くんだよ！」

「へー…」

蘭がどこか嬉しそうにうなずき、園子も「ホントですかー！」とテンションを上げた。目的地が同じなら、もうしばらくこの男の子と行動を共にすることになりそうだ。

しかし、男の子は本当に最初から蘭たちと同じホテルに行くつもりだったのだろうか？

もしかして蘭を口説くために嘘をついているのでは？　そんな疑念が心をよぎり、コナンは警戒心をむき出しにして、

（適当な事ぬかしてんじゃねーぞゴラ!!）

と、彼をにらみつけた。だが、男の子はコナンの視線を受けても動じるどころか、

「さっきはサンキューな！　ボウヤ…」

そう言ってウィンクをしてみせた。園子の言うように確かにイケメンだ。目鼻立ちのはっきりした顔は表情豊かで、どこか少年らしい、いたずらっ子のような雰囲気を漂わせている。形の良い目の下には、くっきりとしたクマが浮かんでいた。

「あ、うん…」

さっきまで怒っていたはずのコナンだが、彼の魅力的な笑顔に、つい気を緩めてしまっていた。

コナンと蘭、園子は、バスの中で会った男の子と共に杯戸ホテルへとやってきた。男の子はホテルに宿泊するつもりで予約を入れていたらしい。ところが、チェックインのためにレセプションに向かったところ、なんと予約が取れていないという。

「ええっ⁉　部屋がない⁉　何でだよ？　ちゃんと予約しただろ？」

文句を言う男の子に、レセプションのスタッフは丁重に頭を下げた。

「申し訳ございません…お断りしたはずがこちらの手違いで…」

（ま、ホテルに用があったのは本当みてーだな…）

二人のやり取りを遠くから見守りながら、コナンはそう納得した。男の子は蘭を口説くために嘘をついてホテルまでついてきたわけではなく、本当にホテルに宿泊するつもりだったのだ。

「じゃあ他の空いてる部屋は？」

男の子が続けて質問するが、答えるスタッフの表情は暗い。

「そ、それが…丁度今、幽霊騒ぎもあって別館を改装してまして、部屋数が少なく満室に…」

「何とかならないのか？」

部屋が取れていなかった男の子は気の毒だが、こちらには関係のないことだ。それに、このイケメンをいつまでも蘭の近くに置いておきたくない。コナンはくるりとレセプションに背を向けると、

「ねぇ、早くケーキ食べに行こ！」

と、無邪気な笑顔で蘭を急かした。

「ボクおなかすいちゃった…」

「そだね…」

蘭がうなずき、三人はレセプションを後にして歩き始めた。数歩進んだところで、園子はチラリとレセプションの方を振り返り、

「でも彼、イケてるよね？　蘭並みに強いし！」

と、まだ揉めているらしい彼の方へと視線を送った。

「うん！」

蘭が大きくうなずく。何しろ男の子は、空手関東大会優勝者の蘭と互角以上の腕前だったのだ。

「真さんと戦ったらどっちが空手強いんだろ…」

そうつぶやいて、園子は恋人である京極真の顔を思い浮かべた。京極は空手の国際大会で四百戦無敗を誇る、蘭以上の空手の使い手だ。

道着姿の京極を思い浮かべてうっとりしている園子に、コナンは「空手じゃないよ…」と横やりを入れた。

「あれは截拳道っていって…映画スターのブルース・リーが小さい頃からやってたカンフーに、空手・ボクシング・柔道・サバット・合気道とかの色々な技を採り入れた武術だよ！

まぁ、目や喉なんかの急所への攻撃もありだから、かなりエグイみたいだけどね…」

「相変わらず変な事知ってるわねアンタ！」

園子があきれ半分にコナンを見て言う。

「それよりケーキバイキングってどこでやってるの？」

蘭はそう言って、あたりをきょろきょろ見回した。

園子は携帯を取り出して、ネット情報を確認した。

「ネットには2階のカフェって出てたけど…」

「じゃあ、とりあえず2階に行ってみよ！　あそこにエレベーターあるし…」

コナンは突きあたりにあるエレベーターを指さすと、小走りに駆けていった。蘭と園子が早歩きで後を追う。

　コナンがエレベーターの手前まで来たところで、ちょうど扉が開いた。中から出てきたのは中年の女性だ。

「あら、どこ行くのボウヤ？」

　女性は、かがみ込んでコナンと視線を合わせ、穏やかに聞いた。

「2階でやってるケーキバイキングに…」

「じゃあ、このエレベーターじゃ行けないわ…。これ、別館のだから…」

　女性の背後でエレベーターの扉が閉まる。

(別館？)

　コナンは、違和感を覚えた。レセプションでスタッフと男の子がかわしていた会話を思い出す。

(でもさっき別館は改装中だって…)

　スタッフは確かに、幽霊騒ぎがあって別館を改装していると話していた。それなのにどうして、この女性は別館のエレベーターから出てきたのだろうか？

「わざわざすみません…」

後から追いついた蘭が、お礼を言う。すると女性は穏やかに微笑んだ。

「いえいえ…困った時はお互い様ですわ！」

女性は昼川利子という名前で四十九歳の主婦だった。

教えてもらったケーキバイキングの会場に向かってコナンたちが歩き出すと、昼川の連れらしい中年の男女二人が、昼川のもとへと駆け寄ってきた。一人はネクタイを締めた男性、もう一人は小太りの女性だ。

「あ、昼川さん、どうでした？　彼は…」

ネクタイの男性が昼川に問いかける。

「最初はいつも通り酔っ払って悪態をついてましたけど…強い口調で叱ったら泣き出しちゃって…」

「な、泣き出した？」

と、小太りの女性が驚いたように目を丸くした。

「ええ…酔いが覚めたら皆さんに謝って罪を認めるから部屋に来てくれって…」

昼川が微笑して言うと、ネクタイの男性は「ほ、本当ですか!?」と声を弾ませた。

酔っ払って悪態だの、謝って罪を認めるだの、何やら妙な会話だが、いったい何について話しているのだろうか？　三人の声が大きいので、会話は嫌でもコナンの耳に入ってきた。

「でも…その場しのぎの出任せを言うつもりなんじゃないですか？　私達を追っ払いたくて…」

「そ、そうですね…。後で問い質しても、そんな事言った覚えはないとか言いかねません…」

小太りの女性が眉をひそめ、ネクタイの男性も不安そうにうなずいた。

「では、彼の懺悔を録音してみませんか？　そうしたら他の被害者の皆さんにも聞かせられますし…」

昼川が言うが、二人の表情は暗いままだ。

「でも…録音する機械なんて持ってませんけど…」

「私も…」

小太りの女性とネクタイの男性が口々に言うと、昼川は即座に提案した。

「だったら、私の車に乗って3人で買いに行きましょう！　彼、酔いが覚めるまでしばらくかかると言ってましたし…。この近所なら電気屋さんの一軒ぐらいすぐに見つかるでしょ？」

どうやら昼川は、二人と一緒に電気屋さんへ向かうことにしたようだ。

コナンたちは、無事にケーキバイキングの会場へとやってきた。しかし、会場の前にはすでに長蛇の列が出来ている。最後尾に並ぼうとすると、近くにいたスタッフに声をかけられた。すると、園子は驚いて叫んだ。

「ウソォ!? 締め切っちゃったの？ ケーキバイキング!!」

「はい…予想以上のお客様がいらしたので…ケーキの数が…」

園子はじとっとした目つきになって、スタッフをにらみつけた。

「ケーキバイキングやるんなら前もってドーンと用意しときなさいよ！ ドーンと!!」

ドォーーン!!

園子の言葉に応えるように、どこかで大きな物音がした。

「な、何？ 今の音…」

園子が驚いて、音のした方へと視線を向ける。

コナンも同じ方向へ視線を走らせながら、（駐車場の方か？）と予想していた。

物音がしたのは、コナンの予想通り駐車場だった。

そこにいたのは、昼川と、そしてあの二人の男女だ。昼川は駐車場に横たわったあるものを見て息をのみ悲鳴を上げた。

「きっ…きゃあぁぁ!!」

ケーキバイキングの会場前にいたコナンにはもちろん、レセプションにいたあの男の子のところへも、その悲鳴は届いていた。

悲鳴を聞いたコナンは、ダッといきおいよく走り出した。

「ちょ、ちょっと!?」

蘭が止めるのも聞かず、物音と悲鳴が聞こえた駐車場へと急ぐ。

駐車場のいちばん奥には、一台の車が少しはみ出して停まっていた。すぐそばで、昼川と二人の男女が「た、大変だ…」「救急車を…」とおののいた様子で話している。

駆け寄ったコナンは息をのんだ。

停車した車の前には、若い男の遺体が横たわっていたのだ。うつぶせで頭から血を流している。

「何があったの？」

「く、車をバックさせた途端にこの人が上から…」

コナンに聞かれ、昼川は遺体を指さして答えた。

「こ、この人、彼じゃない？」

「本当だ、上住だ!!」

小太りの女性とネクタイの男性が、口々に言う。どうやら昼川たちは遺体の男を知っているらしい。

騒ぎを聞きつけた警備員が「どうかされましたか〜〜？」と近づいてくる。

と同時に、昼川が屋上を指さして叫んだ。

「ちょ、ちょっとあれ誰!?　い、今屋上に変な人影が!!」

コナンは（なに!?）と即座に反応して、昼川にいきおいよく聞いた。

「その人の顔とか覚えてる？」

「ふ、服なら…。もしかしたら知り合いだったかも…」

「蘭姉ちゃん達は警察を呼んで、警備員さんと死体と車を見張ってて！」

コナンは早口に指示を出すと、「ええ!?」と戸惑う蘭をその場に残し、昼川の手を引いて走り出した。

「ボクはこの人達と屋上に行ってみるから…」

そう言い残して屋上へと向かう。ネクタイの男性と、小太りの女性も一緒だ。エレベーターに乗り1階から7階まで一気に通り過ぎる。

エレベーターが上昇する間、コナンは乗ってきた扉と対面にある壁に背中を預けて寄りかかって立っていた。しかし、壁だと思って寄りかかっていたのは、実は扉だったらしい。屋上に到着すると、寄りかかっていた背中側の扉がガーッと開いたので、コナンは（うわっ）とバランスを崩してしまった。

（このエレベーター前後二つ扉かよ…）

到着階によって、前後どちらの扉が開くか替わるタイプのものだ。どちらの扉の上にも、ルームミラーほどの大きさの鏡が設置されている。

エレベーターを降りたコナンと、ネクタイの男性と小太りの女性は、屋上へと走った。しかし昼川はエレベーターボタンの前に立ったまま、扉の陰に隠れるようにして動こうとしない。

「何してるの、昼川さん？」

「わ、私ここにいちゃダメ？　何か怖くて…」

小太りの女性に聞かれ、昼川はこわごわと答えた。

「ダメだよ！　見たの昼川さんなんだから！」

ネクタイの男性に言われ、仕方なしに昼川もエレベーターから降りてくる。

屋上に出ると、正面の手すり壁の上に何かが置いてあるのに気づいた。タタタ…と駆け寄ってみると――、

（上着の上に靴…）

脱いだ上着が丁寧に広げて置かれ、その上にスニーカーが一足、きちんと並べて置かれている。

「じ、自殺!?」

ネクタイの男性が驚いて言う。小太りの女性が、昼川の方を見た。

「じゃあ昼川さんが見たって人影は？」

「この上着が風でなびいてそう見えたのかも…」

そう言うと、昼川は目に涙を浮かべた。

「わ、私のせいね…。彼を言葉で追い詰めたから…」

「いや…これは恐らく…」

言いかけたコナンを遮るようにして、少年のような声が口を挟んだ。

「殺人…だよね？　コナン君？」

コナンが驚いて振り返ると、そこには——行きのバスで一緒になったあの男の子が、不敵な笑みを浮かべて立っていた。


突然現れた少年に、いきなり殺人だと断定され、昼川も二人の男女も面食らったようだ。

「さ、殺人って…あなた、誰かがここから彼を突き落としたのを見てたっていうの？」

小太りの女性が聞くと、男の子は「いや…」と否定した。

「ボクは転落死した男がかなり酔っ払ってたって…あんたらが話してるのを耳にしたぐらいだよ…職業柄耳がいいからさ…」

言いながら、男の子は小指で自分の耳を指さした。ずいぶんと自信のありそうな口調だ。

(職業柄？)

コナンは戸惑って男の子を見つめた。職業柄「耳がいい」とはどういうことだろう？

「で、でも何で自殺じゃないの？」

「ホラ、ちゃんと靴もそろえてあって…」

小太りの女性とネクタイの男性が順番に反論するが、男の子はさらに自信たっぷりに言う。

「それってただの先入観だよ？　ボクは今まで、何件もの投身自殺の現場を見て来たけど、靴を履いてない遺体はほとんどなかった…」

（何人もの？）

コナンは再び、男の子の言葉に引っかかりを覚えた。何人もの投身自殺の現場を見てきたなんて――いったい何者なのだろうか？

「まぁ、映画やTVが作り出したキーワードって説が有力かな？　靴が屋上にそろえて置いてあると、自殺だ、と思い込ませた方が情緒的でドラマが作りやすいからね…」

「今はなくなったけど、昔の推理ドラマで首吊り自殺した人が、口から血を垂らしてるのと一緒だよ…。実際には血なんて出ないけど、視聴者に死んだとわかりやすいし、インパクトもある…」

そこで一度言葉を切ると、男の子はそろえて置かれた靴の方をチラリと見た。

「もっとも、そういうドラマや映画を観ていて…投身自殺をする時は、靴を脱ぐものだと思い込んでた場合もあるけど…転落死した男はかなり泥酔してて、酔いが覚めるまで時間をくれと言っていた…。そんなフラフラの状態で上着を脱いで…その上にキチンと靴をそろえて置くなんてまずありえない…」

落ち着いた口調で言いながら、男の子は遺体がある駐車場の方を上からのぞき込んだ。

「関係のない誰かが、偶然イタズラで置いたって線も…靴の位置が転落死した男の丁度真上だから却下…。…となるともう…投身自殺だと見せかける為に、犯人がわざわざ靴をそろえて置いたとしか思えないだろ？」

軽く両手を広げて肩をすくめると、男の子はニヤリとしてコナンの顔をのぞき込んだ。

「だよなぁ？　ボウヤ！」

コナンはあっけにとられて、男の子の顔を見つめ返す。

たった今現場に到着したばかりだというのに、ここまでのことを見抜いてしまうなんて、男の子の洞察力はかなりのものだ。

「じゃ、じゃあ犯人はどこに⁉」

昼川が慌てた様子で男の子に迫る。

「多分すぐに捕まるんじゃないかなぁ？　ボクがこの屋上に上がって来る前に、エレベーターと階段を見張ってててって警備員に頼んだから…」

「な、何なの？」

「何者だね、君は⁉」

落ち着き払って言う男の子に、小太りの女性とネクタイの男性が口々に詰め寄った。

「ボクの名前は世良…」

低い声でつぶやくと、世良と名乗ったその男の子は余裕に満ちた視線をコナンに向けた。

「このボウヤと同じ…探偵だよ…」


事件の通報を受けて鑑識と共に現場にやってきたのは、目暮十三警部と高木渉刑事だった。警視庁刑事部捜査一課の刑事たちで、コナンたちとは顔見知りだ。

高木刑事から、事件の関係者の証言を聞いた世良は「えぇっ⁉」と大声を上げて驚いた。

「誰もいなかった？　この別館には転落死したこの男しかいなかったっていうのか？」

初対面の世良にいきなり問い詰められ、高木刑事は困惑気味に「あ、ああ…」とうなずいた。

「エレベーターや階段を見張ってた警備員の話だと、出入りしたのは君達だけだと…」

「――っていうか誰だね君は？」

目暮警部がじろりと世良をにらむ。

「た、探偵さんだそうです…」

昼川が説明すると、高木刑事は「た、探偵？」と片眉を上げた。一方の目暮警部は、（また面倒臭い奴が…）とゲンナリしているようだ。

世良は遺体を見下ろして、あごに手を当てた。

「でも何でこの男はいたんだろ？　別館は改装中で泊まれないはずなのに…」

「亡くなったこの上住貞伍さんは、この杯戸ホテルのオーナーの息子でね…特別に部屋を使わせていたそうだ…」

世良の疑問に答えると、目暮警部は「マスコミを避ける為にな…」と付け足した。

「マスコミって…」

「その人有名人？」

蘭と園子に聞かれ、目暮警部は苦々しげにうなずく。

「ああ…振り込め詐欺の首謀者として一度捕まえたが…証拠不十分で釈放され…今、週刊誌を騒がせてるよ…」

「でもマスコミに嗅ぎ付けられて、先週まで大騒ぎだったらしいです…。貞伍さんがマスコミ相手に大暴れして…6階の廊下の窓を消火器で割ったとか…。お陰で別館に泊まる客が減り、さすがにホテル側もこれ以上彼を置いておけなくなり…別館の改装を機に、彼を海外に移住させるつもりじゃないかと噂されてましたけど…」

高木刑事が説明すると、昼川も「ええ…」とうなずいた。

「その噂を我々被害者も聞きつけて、彼に会いに来たんです…」

「外国に逃げられてしまう前に…」

小太りの女性が言い、ネクタイの男性が「一言でも謝ってもらおうと…」と続く。

目暮警部は、昼川に向き直って聞いた。

「じゃあ、貞伍さんに会われたんですか？」

「ええ…まずは私が彼の部屋に行って…そうしたら彼、急に泣きだして罪を認めて謝るから、酔いが覚めるまで時間をくれと…。どーせなら彼の懺悔を録音しようという事になり、この2人と一緒に近所の電気屋さんに録音機器を買いに行こうとして、駐車場に停めていた私の車に乗り…車をバックさせた途端に…目の前に彼が落ちて来たんです！」

　亡くなった上住貞伍が落ちてきたのは、昼川の車のボンネットにぶつからないぎりぎりの位置だったそうだ。突然目の前に人が落ちてきて、昼川たち三人はさぞ驚いたに違いない。

「バックさせた途端にか…」

　昼川の説明を聞いた目暮警部は、どこか釈然としていない様子でつぶやいた。

「警部…ひょっとしたら、貞伍さんと車を糸か何かでつないで引っ張って転落させた可能性も…」

　高木刑事がこっそりと耳打ちする。

「転落後…あなたの車や遺体に触った人は？」

　目暮警部が聞くが、昼川は「さぁ…」と首を傾げた。

「いないと思うよ！」

　コナンがすかさず横から口を挟む。

「ボク、このおばさんが屋上で怪しい人影を見たって言うから…おばさん達とすぐに屋上に行ったんだもん！　その間、車と遺体は蘭姉ちゃん達と警備員さんで見張っててって言ったから…だよね？」

コナンが蘭の方を見て確認すると、蘭は「うん…」とうなずいた。

「怪しい人影は私の見間違いだったようですけど…」

昼川がコナンの説明に付け足して言う。

「となると車や遺体にまだ仕掛けの痕跡が残っているかもしれん…入念に調べさせろ！」

目暮警部から指示を受け、高木刑事は「はい…」とうなずいた。二人とも昼川の車が怪しいと考えて、徹底的に調べることにしたようだ。

「でも変だなぁ…」

世良が不思議そうにつぶやいた。

「ボクがエレベーターを待ってる時…確かに6階と2階でエレベーターが止まったと思ったけど…本当に別館には転落した人しかいなかったのか？」

「と、止まった？」

「それ、いつの事だね？」

目暮警部と高木刑事が、驚いて聞き返す。世良は意味深にコナンの方を見ながら説明した。

「男が落ちたって大騒ぎになって…このボウヤがおばさん達連れて、エレベーターで屋上に向かった後だよ…。エレベーターは最上階に行くまで、ノンストップだったのになかなか降りて来なくて…」

「だが確かエレベーターは2基あったはずだが…」

目暮警部が高木刑事の方を見ながら確認する。

「動いていたのは1基だけだったようです…どーせ泊まっているのは貞伍さん1人だからと…」

「じゃあ、まだ別館に誰か潜んでいるかもしれんな…」

「ええ…捜査員がくまなく捜していますが…見つかったという報告はまだ…」

目暮警部と高木刑事が、真剣な表情で話し合う。

「監視カメラは？　エレベーターや廊下に付いてるでしょ？」

コナンが聞くと、高木刑事は困ったように肩をすくめた。

「それがねぇ…貞伍さんが暴れた時に別館中にスプレーしまくって…監視カメラも全て塗り潰しちゃったらしくて…真っ暗で何も見えないそうだよ…」

マスコミ相手に大暴れしていただけあって、貞伍はかなり気性が荒かったようだ。監視カメラが機能していなかったのなら、事件当時の別館の中の状況は誰にもわからないということになる。

（なるほど…）

世良とコナンは同時に心の中でうなずくと、挑戦的に目を細めた。

（別館の中はブラックボックス…誰が何をやろうと気づかれねぇってわけか!!）

「わくわくしてきたなボウヤ！」

世良はかがみ込み、満面の笑みでコナンの髪をかき回した。あからさまにテンションを上げる世良に、コナンは「あ、うん…」と引き気味だ。

「とにかく…」

目暮警部が仕切り直し、ホテルの建物を見上げた。

「行ってみる必要がありそうだな…なぜか止まったという2階と6階に…」

その時、昼川と二人の男女が、にわかに騒々しくなった。

「だから絶対そうだって…」

ネクタイの男性が何やら昼川に詰め寄っている。

「でも、そんな事、刑事さんに話しても…」と反対する昼川に、小太りの女性が「言うだけ言ってみましょうよ！」とにじり寄った。

「ん？　何ですか？」

三人の会話を聞きつけた目暮警部が声をかけると、ネクタイの男性と小太りの女性が順番におずおずと口を開いた。

「あ、いえね…ただの噂話なんですが…」

「出るらしいですよ、この別館に…」

「出るって何が？」

目暮警部が聞き返すと、二人はおびえた表情で言った。

「幽霊ですよ幽霊!!」

「夜中、誰も乗ってない老人の車椅子が、別館の中を徘徊しているのを見た人がいるらしいんです!!」

「えええ!?」

反応したのは、蘭と園子だ。二人とも本気で怖がっている。

「も、もしかしたらその幽霊がエレベーターのボタンを押したのかも…」

小太りの女性がそう推測すると、目暮警部はあきれ返ってしまった。

「あのねぇ…そもそも誰も乗ってないのに何で老人の幽霊だとわかるんですか？」

「…私の父のせいです…」

昼川が、暗い声で答えた。

「振り込め詐欺にあったのは私の母だったんですが…そのショックで体を壊して入院してしまい…。癌で余命わずかだった父が、わざわざ別館に部屋を取って、毎日のように貞伍さんの部屋の前で頼んでたんです…『金を返せとは言わないから、一言妻に謝ってくれ』と…」

どうやら昼川の母は、貞伍の振り込め詐欺の被害者だったらしい。

「でも母が病院で亡くなった事を知った父が、その日の夜に泊まっていたその部屋で首を吊って自殺を…父は、このホテルが貸し出していた電動車椅子に乗っていたので…そんな噂が広まったんだと…」

「ちなみにお父さんが泊まられていた部屋は？」

高木刑事が聞き、昼川は暗い表情のまま答えた。

「2階の部屋だったと…」


世良が言うには、コナンたちが屋上に上がった後に2階と6階でエレベーターが止まったらしい。とすれば、2階か6階のどこかに事件に関連する痕跡が残っているかもしれない。

一行はさっそく、実際に2階と6階に行ってみることにした。

先に向かったのは、2階だ。幽霊が出るという噂のあるフロアでもある。チン、と音がしてエレベーターの扉が開くと、改装中のためか床一面にビニールシートが敷いてあり、ペンキの缶や脚立が、あちこちに置かれていた。壁はどこもかしこもスプレーの落書きだらけだ。

「確かにひどい落書きですね…」

「改装も止む無しだな…」

『死ね』と殴り書きされた壁を見ながら、目暮警部と高木刑事が口々に言う。

エレベーターを出て廊下をまっすぐ進んだ突きあたりには、千葉和伸刑事がいた。目暮警部や高木刑事と同じ、警視庁捜査一課所属の刑事だ。目暮警部たちと共に現場に駆けつけ、先に別館内の調査にあたっていたらしい。

「お、千葉君！　誰か見つかったかね？」

目暮警部が声をかけると、千葉刑事が「いえ、まだ…」と答えながら振り返った。すぐ横に何か四角いものが置いてある。

「ん？　何だねそれは…」

「車椅子です！　発見した時にはまだ動いていて…」

（動いてた？）

コナンと世良は引っかかりを覚え、車椅子をじっと見つめた。特に変わったところはない、ごく普通の電動車椅子のようだが……。

「前輪と前輪の間に妙な釣り糸も付いていたので、ホテル側に確かめたら…これは、転落死した貞伍さんが借りていた電動車椅子だそうで…」

そう言って、千葉刑事は手に持った釣り糸を見せた。

「彼は足が悪かったのかね？」

「いえ…単にこれに乗って別館中を乗り回っていたと…」

千葉刑事が苦笑すると、目暮警部も「とんでもない奴だな…」と眉根を寄せた。

「もしかして、例の幽霊騒ぎも貞伍さんの仕業かもしれませんね…。今日訪ねて来るあの被害者3人を、自殺した老人が泊まってた2階で、無人の車椅子を釣り糸で操って脅かそうとしていたとしたら…」

高木刑事が推測すると、目暮警部も「確かに辻褄はあうな…」と納得した表情を浮かべた。

世良は指紋がつかないようハンカチで挟んで釣り糸を手に取り、しげしげと観察した。

「それにしても随分長い釣り糸だね…先に切れた輪ゴムが数個付いてるし…」

「足掛けには何かにぶつかったような傷も付いてるよ…」

車椅子の正面に回ったコナンは、足掛けをのぞき込みながら言うと、

「犯人はこれを使ったんじゃないの？」

と目暮警部の方を見た。

「窓の外を見てみなさい…。ここは貞伍さんが転落死した駐車場の逆側…車椅子を使っても何もできやせんよ！」

目暮警部に言われて窓の前に立ってみると、確かにその通りだった。窓から見えるのは、駐車場ではなく別館と本館の間にある小さな中庭だ。

コナンと世良が、さも警察関係者かのような気軽さで目暮警部と話すので、千葉刑事は戸惑っているようだ。

「あ、事件後最初に別館に入ったのはコナン君達だから、一応連れて来たんだよ…」

高木刑事がやんわり言うと、千葉刑事は世良を見ながら、

「知らない少年も交ざっているような…」

と首をひねった。

別館2階を調べ終えたコナンたちは、続いて6階へと向かうためエレベーターに乗り込んだ。

「見間違いじゃないのかね？　このエレベーターが2階と6階で止まったなんて…」

エレベーターの扉に寄りかかりながら、目暮警部が世良に確認した。

「嘘だと思うなら警備員さんに聞いてみてくれ…エレベーターの見張り頼んだ時、一緒に見てたからさ…」

世良が答えると同時にチンと音が鳴って、エレベーターが6階へと到着した。開いたのは、2階で開いたのとは逆側の、目暮警部と高木刑事が寄りかかっていた方の扉だ。背後で扉が急に開いたので、二人は危うく倒れそうになり、「うわっ」とよろめいた。

「こっち側の扉も開くのか⁉」

「うん！　このエレベーターは前後二つ扉だよ！」

エレベーターを出ながら、コナンが答える。

「ホテルの人に聞いたら、この別館の1階と2階のこっち側は結婚式とかに使う大ホールになってて…1階と2階のエレベーターの出入り口を向こう側にした方が便利で、スペースも広く使えるからそうしたってさ！」

つまり、1階と2階は中庭側の扉が、3階から屋上までは駐車場側の扉が開くということだ。そういえば、2階のエレベータを降りた突きあたりにある窓から見えたのは、本館と別館の間にある中庭だった。

「しかしここは一段と派手に落書きされていたようだな…」

「ええ…ここは貞伍さんが泊まってた階だそうなので…」

6階の壁を見ながら、目暮警部と高木刑事が口々に言う。壁の下半分はシートで目張りされていたが、隠されていない上側は隙間なくスプレーで落書きされ、また『殺す』など物騒な言葉が書かれていた。

「ちなみに改装業者は、貞伍さんが転落した1時間後に来る予定だったそうです…」

「しかし、塗り直した端から落書きされちゃたまらんだろうに…」

目暮警部の視線の先には、壁の目張りの上に落書きされたドクロがあった。すぐ上には壁の落書きと同じ筆跡で『業者帰れ』と書きなぐられている。

エレベーターの正面には大きな窓があったが、窓枠だけでガラスが無くなっていた。

「これかぁ…貞伍さんが消火器で割ったって窓は…」

世良が言うと、コナンも「みたいだね…」とうなずいて窓の下をのぞき込んだ。

「あ、ちょっと危ないよ!!」

高木刑事が慌てて二人に声をかけた。

「カバーしてたシートのガムテが風であおられて外れてたから…」

どうやらこの窓は、安全のためシートで覆われていたらしい。しかしシートを固定していたガムテープが風で外れたため、窓のちょうど中央だけむき出しになってしまっていた。

「でもここってさ――…転落現場の丁度真上だよ?」

コナンが駐車場をのぞき込みながら言う。

「何かあると思わないか?」

と世良も疑わしげだ。

窓の下の壁は、ちょうどコナンの肩ほどの高さで、大人なら簡単にまたげそうだ。窓の下にしゃがみ込み、コナンは「ん?」と何かを見つけた。壁と床の一部に、ペンキがべったりと付着しているのだ。誰かがペンキ缶を倒してしまったのだろうか?

(窓の下の壁と床の境目に大量のペンキ…しかも完全に乾ききってる…)

さらに、境目から数センチほど上の壁と、同じく数センチほど手前の床の一部に、何か細長いものがぶつかったような、不思議な跡が残っている。

(何かがペンキの上に置いてあったような跡があるけど…)

あたりを見回すと、背後にペンキが付いたペンキ缶が転がっていた。

(このペンキ缶だな…。何かがぶつかってヘコんだ跡も残ってる…)

さらにその隣にもう一つ、ペンキ缶がある。

(他にも同じようなペンキの缶がもう1つ…)

チラリとエレベーターの方を振り返る。エレベーターの扉の下部にも、同じように何かがぶつかったような跡が残っていたのだ。窓にあった跡と同じくらいの高さだ。

(何かがぶつかった跡は、あのエレベーターの扉の下の方にも付いてたな…。まてよ、まてよ…。前後二つ扉のエレベーターに、釣り糸が付いた電動車椅子に…幽霊騒ぎにこの怪しげな改装現場…)

次の瞬間、コナンははっとして、目を見開いた。

(そうか、そういう事か!! やっぱり犯人は事件前に唯一別館に入った…)

コナンが真実にたどり着いたまさにその時——。

「あの昼川っておばさんだよ！　犯人は!!」

世良が自信に満ちた表情で、そう告げた。

「え？」

と目暮警部が驚いて聞き返す。高木刑事もびっくりしているようだ。

「今からボクの言う通りに仕掛けして…昼川さんをここに連れて来てくれる？」

まさか——本当に世良は、コナンとほぼ同じタイミングで事件を解き明かしてしまったのだろうか？　驚くコナンをよそに、世良は満足げに微笑した。

「この事件はもう…Case Closed…解決したからさ！」


世良の推理を聞くため、容疑者である昼川と、二人の男女が別館6階へと呼び出された。

昼川は、不安げに刑事たちの顔を見回した。

「事件が解決したって…やっぱり彼の自殺だったとわかったんですか？」

「いや…上住貞伍さんの投身自殺はトリック…。だから、わざわざ事件当時に動いていなかった方のエレベーターで、この6階に来てもらったんです…」

そう言うと、目暮警部は背後にいる世良の方へと視線を投げた。

「犯人はエレベーターを使って、自殺だと偽装したと彼が言うんでね…」

「彼ってボクは…」

世良が、心外そうに何か言いかける。高木刑事がすかさず、

「ああ…世良君だったよね？」

とフォローを入れた。

「とにかく話してくれる？　世良さんの推理を…」

コナンは子供らしく無邪気に言うと、声を一段低くして付け足した。

「間違った所がないか、ボク達が聞いててあげるから…」

コナンの口調には含みがあったが、世良は動じない。

「ああ…ちゃんと見ててくれよ！　これから話すトリックをここで実践するんだからさ！」

平然と笑いかけられ、コナンは少しシラけたようだった。

トリックをこの6階で実践すると聞いて、昼川は「……」とわずかに眉根を寄せた。まるで何かを警戒するような表情だ。

「でも何でここなの？」

「殺人だとしても、彼は屋上から突き落とされたんじゃ…」

小太りの女とネクタイの男性が不思議そうに聞く。二人ともこの状況にピンと来ていないらしい。

「さっきも言ったけど、屋上に置いてあった貞伍さんの靴や上着は、投身自殺だと見せかける為にあらかじめ置かれていた物であり…この別館の6階が、本当の犯行現場だと知られない為のフェイク…」

よどみのない口調で言うと、世良は薄笑いを浮かべたまま昼川をまっすぐに見つめた。

「昼川さん…あんたがエレベーターと車椅子を使って、ここから貞伍さんを突き落としたのを隠す為のね!!」

「ちょ、ちょっと待ってよ!!」

真っ先に小太りの女が反論し、ネクタイの男性も、

「彼が上から落ちて来た時、昼川さんは我々と駐車場の車の中にいたんだよ!?」

と言い募った。

名指しされた当の昼川は、落ち着き払った様子で「そうね…」と口を開いた。

「それで、どうやって私が車椅子とエレベーターを操れたっていうのかしら?」

「大丈夫！　エレベーターのボタンを押しておけば、その場にいなくても…電動車椅子に乗せた貞伍さんを自動的に2階から6階に運んで落とし、車椅子だけを再び2階に戻す事ができるんだから…。まぁ、長い釣り糸とその先につける数本の輪ゴムも用意する必要があるけどね…」

「釣り糸と輪ゴム？」

ネクタイの男が、不可解そうに眉をひそめる。釣り糸と輪ゴムをいったいどう使えば、エレベーターのボタンを押しただけで貞伍を殺せるというのだろう。

昼川は余裕のある表情で、口の端を上げた。

「まあ聞かせてもらいましょうよ…。自動的に人を転落死させるっていう…その魔法のようなトリックを…」

「まずは、この6階に泊まってた貞伍さんに会いに行き、酒で泥酔させるのが絶対条件！いつも酔っていたらしいからかなりの酒好き…高くてうまい酒を持参して行けば彼を泥酔させるのは造作もないよね？」

貞伍と面識のある昼川たちに視線で確認すると、世良は推理を続けた。

「そして酔い潰れた彼を、彼が借りていた電動車椅子に膝を抱えた状態で乗せ、エレベーターの前に運び…6階で止まってたエレベーター内の扉の上にある鏡に、長い釣り糸の先に付けた数本の輪ゴムを引っ掛ける…」

エレベーターの扉上部にあった鏡は、壁に取り付けた数センチほどの棒の先に設置されていた。昼川は、その棒の部分に輪ゴムをセットしたのだろう。

「そしてエレベーターの外から1階のボタンを押して、無人のエレベーターを降ろし、1階から6階までの糸の長さを計って…再びエレベーターを6階に上げ、計った長さより30㎝ぐらい短い位置で車椅子の前輪の間に釣り糸を結べばトリックスタート！　釣り糸がどこかに引っ掛からないように手繰り寄せてから、貞伍さんを乗せた車椅子と一緒にエレベーターに乗り込み、2階で車椅子だけエレベーターの外に出し、車椅子が扉に向かって進むようにして扉を閉め、自分は1階に降りる…」

電動車椅子は、ボタンを押せば自動で前に進み続ける。エレベータの扉にぶつかれば停まるが、扉が開けばまた前に進み始めるはずだ。

「1階に着いた昼川さんが出会ってしまったのがこのボウヤ！　『これは別館専用だから乗らないで』とか言ってたようだけど…あれはボウヤをエレベーターに乗せない為に…。もしも乗られたら、エレベーターの扉の上の鏡から妙な糸が垂れ下がっている事や…その糸の先がもう片方の扉から出てる事がバレてしまうし…それに…なぜか2階と6階のボタンが押されてるって事が…丸わかりになっちゃうからね！」

「に、2階と6階？」

ネクタイの男性が、怪訝そうに聞き返す。小太りの女性もいぶかしげな表情だ。世良の推理通りに昼川が行動したとして、いったい何が起こるのかまるで見当がついていないらしい。

「まあ、百聞は一見にしかず…実際にやってみようよ！　ねぇ、警部さん？」

世良に目くばせされ、目暮警部は携帯電話を耳に当てた。

「千葉君！　準備はいいかね？」

『はい！』

1階のエレベーター前で待機していた千葉刑事が、威勢よく応答する。どうやら世良は、昼川たちを集める前にトリックを実践する手はずを整えておいたらしい。

『2階と6階のボタンを押したエレベーターを…今から上に上げます！』

千葉刑事が1階で外からエレベーターのボタンを押す。ウィイン……と音を立ててエレベーターは上昇し、まずは2階で停止した。2階の扉の前では扉にぶつかり続ける電動車椅子がすでに用意されている。車椅子の上には、成人男性ほどの大きさの人形が膝を抱えて座らされていた。

「エレベーターが2階に着けば…待っているのは扉に遮られながら前進し続けていた電動車椅子…扉が開けばエレベーターに入り…エレベーター内の反対側の扉に再び突っ掛かる…」

世良の推理通り、2階でエレベーターの扉が開くと、電動車椅子は前に進んでエレベーター内に入り、反対側の扉にぶつかって停まった。

「知ってると思うけど、この別館のエレベーターは前後二つ扉で…1、2階と3階から上は開く扉が真逆…。…となると2階で乗せた車椅子は…この6階に着けば勝手に出て来るはず…」

ガーッ。

世良たちのいる6階のエレベーターの扉が開く。内側で扉にぶつかって止まっていた電動車椅子は、扉が開いたことによりまた前進を始め、長い廊下を世良たちの方へと向かってまっすぐに進んできた。

改装工事のため、廊下のあちこちにはペンキ缶や脚立、段ボールなどが置かれている。

「後は、エレベーターの周辺に置いたペンキ缶やダンボール箱で…車椅子の進路を定めれば…車椅子は壁に沿って一直線に進み…数日前に貞伍さんが割ったっていうガラスのない窓へ…」

電動車椅子は、ガラスのない窓へと向かっていく。窓の目張りが外れているのはガムテープが風で剥がれたせいだと高木刑事は考えていたようだが、実際には昼川が外しておいたのだろう。

「そして車椅子の足かけが窓の下の壁にぶち当たり…その弾みで車椅子に乗せられてた貞伍さんが…窓の外に…」

ガッ、と車椅子が壁に当たった。椅子の上で体育座りをしていた人形は、その弾みで外に放り出されるかと思われたが——、
ガン！　ガン！

車椅子が何度ぶつかっても、人形は椅子の上に座ったままだ。どうやら、普通に壁にぶつかるだけでは人一人を放り出すほどの衝撃は生まれないらしい。

「あ、あれぇ？」

「おい…これで落ちるはずじゃあなかったのかね？」

焦る世良に、目暮警部が突っ込む。さっきまでの強気な態度はどこへやら、世良は声を裏返して言い訳を始めてしまった。

「も、もしかしたらこの車椅子を2階に戻す時に、振り落とされて窓の外に転落したのかも…」

「で、でも君から事前に聞いた推理では…犯人は貞伍さんが転落死した後で車椅子を2階に戻したって…」

高木刑事に指摘され、世良は「そ、そうだっけ？」と目を泳がせた。

（おいおい、やっぱりアイツわかってなかったのかよ？）

コナンはすっかりあきれてしまった。世良の推理は、途中まではコナンの推理と一致していたが、肝心なところで詰めが甘かったらしい。このままでは犯人である昼川に逃げられてしまう。

（しかし困ったな…。今から園子を呼んで眠らせて推理するのは無理あるし…高木刑事や目暮警部を腕時計型麻酔銃の標的にするのも後々ヤバそうだし…）

コナンはポケットの中から携帯電話を取り出した。

（この場に突然現れて真相を明かしても説得力があり…後でごまかせる人物っていったらもう…）

世良は、しどろもどろの説明を続けている。

「そ、そうだ車を使ったんだよ!!　車椅子でここまで運んだ貞伍さんと、車を釣り糸で結んでおいてバックさせて…」

「残念だけど昼川さんの車からは仕掛けらしき物は何も出なかったよ…」

「だいいち、貞伍さんと車を糸で結んでいたなら、この窓の縁に寝かせておけば車椅子で運ぶ必要はないんじゃないのかね？」

高木刑事と目暮警部に問い詰められ、世良は「確かにそうだね…」と頭を抱えてしまった。

しかしその動作は、どこか芝居がかっているようにも見えた。

「ボクとした事が…迂闊だったよ…」

そう言いながら、ちらりとコナンの方をうかがう。そのまなざしはまるで、コナンがこれから真相を解き明かすことを期待しているかのようだ。

一方、昼川は世良のトリックの実演が失敗に終わったことですっかり自信に満ちた表情をしていた。

「確かに面白いトリックでしたけど…所詮机上の空論…。あなた方警察には失望しましたわ…そんな若者の絵空事を真に受けるなんて…」

その時、

『ペンキの缶ですよ…』

と、どこからか若い男性の声が聞こえてきた。

「え？」

昼川が驚いて振り返ると、コナンがスピーカーフォンにした携帯電話を手に持っている。

声は、この携帯電話のスピーカーから聞こえてくるようだ。

『犯人は、窓のそばに置いてあるその２つのペンキ缶を使って、被害者を突き落としたんです…』

「そ、その声は…」

「工藤君か⁉」

高木刑事と目暮警部は、突然の新一の登場に度肝を抜かれたようだ。しかし新一の声は、実はコナンが蝶ネクタイ型変声機を使って出しているだけだった。

コナンは、スピーカーフォンにした携帯電話のほかに、携帯電話をもう一台隠し持っている。そして、隠し持っている方からスピーカーフォンにした方へ電話をかけ、新一の声を出していた。すると、スピーカーフォンにした携帯電話からは新一の声が流れてくるので、あたかも新一から電話がかかってきているかのように見えるというわけだ。

コナンは「そうだよ！」と無邪気にうなずいた。

「ボクが新一兄ちゃんに事件の事を電話したらわかったってさ！」

コナンたちの会話を耳にして、世良は意味深に目を細めた。そして、

（工藤…新一…）

心の中で、その名前をゆっくりと繰り返す。

目暮警部はコナンから携帯電話を受け取ると、じれったそうに耳に当てた。

「そ、それで？　ペンキの缶をどう使ったというんだね？」

しかし、新一からの応答はない。

高木刑事はうろたえて、

「し、新一君？」

と、呼びかけた。

その時コナンは変声機を持ったまま、物陰へと走っていた。いつまでも目暮警部たちの目の前で変声機を使い続けていたら、自分が新一の声を出していることがバレてしまうかもしれないからだ。

サッと物陰に隠れたコナンは、改めて変声機を口元に当て、携帯電話ごしに工藤新一の声

を出した。

「窓の下に大量にペンキがこぼれた跡がありますよね？　そこに何かが置いてあった跡もあるはず…。その跡に合わせてペンキ缶を横に倒して置いてみてください…ピッタリ合いませんか？」

新一の指示に従いペンキ缶を横に置くと、目暮警部は「お！」と声を上げた。

「2つともピッタリ一致するぞ!!」

『じゃあその2つの缶を両脇から足で押さえて…車椅子をもう一度窓から離して発進させてください！』

目暮警部と高木刑事が、両側から片足ずつペンキ缶に足を乗せて固定させる。

「えーっと、車椅子は…」

電動車椅子を発進させる役目の人間を探して、目暮警部が視線をさまよわせた。世良がすかさず「じゃあボクが…」と名乗り出る。人形を体育座りさせた電動車椅子をエレベーターの扉の手前まで押していき、窓の方を向かせると、

「この辺からでいいのかなあ、工藤君？」

と電話の向こうにいるはずの新一に声をかけた。

『この辺って…僕は現場にはいないんだから判断しようがないけど…』

コナンが戸惑い気味に答えると、世良は即座に「そりゃそうか！」と納得した。まるで本当は工藤新一がこの場にいることを知っていて、カマをかけたかのようだ。

「んじゃ発進させるよ！」

明るく言って、世良が電動車椅子を操作する。ウィィンと音を立て、電動車椅子はまっすぐに窓に向かって進んでいった。

『そう…貞伍さんを乗せた車椅子は…6階のエレベーターから出た後、窓に向かって進み…』

新一の声が電動車椅子の動きを説明していく。

電動車椅子が進む先の窓の下には、ペンキ缶がある。ペンキ缶は今は目暮警部と高木刑事によって足で押さえられているが、犯行が行われた当時は乾いて固まったペンキによって固定されていたはずだ。

「窓の下の壁にペンキを垂らして固定してあったペンキ缶に…車椅子の足カケがぶつかれば…足カケの先が缶の下に滑り込んで…」

新一が言うように、電動車椅子の足掛けがペンキ缶の下にガッと当たって、電動車椅子全体が前方へとつんのめった。

「後輪が浮き上がって…ヒジかけが壁に当たり…その反動で被害者は…窓の外へ放り出されるというわけです！」

目暮警部も高木刑事も、驚きのあまり息をのんだ。

新一の言う通り、車椅子に座っていた人形は、窓の外へと放り出されてしまったのだ。真っ逆さまに落ちていった人形は、下で待機していた警察関係者たちが広げたシーツの上にバフッと着地した。

『そして、被害者が転落死したのを目の前で確認した犯人は…屋上に怪しい人影を見たと偽って屋上に行く口実を作り、屋上へ行く為に6階で止まっていたエレベーターを1階に降ろしたんです…』

「千葉君、動かしてくれ！」

目暮警部の指示を受け、1階で待機していた千葉刑事は『了解！』とボタンを押した。6階にいたエレベーターが1階へと降りていく。

『すると車椅子の前輪の間に結んだ釣り糸が引っ張られ…クルっと半回転しながらエレベーターの方へ進み…エレベーターの扉に激突！　さらに引っ張られる釣り糸が30㎝短い分、エレベーターの鏡に引っ掛けた輪ゴムが伸びきって切れ…犯人がエレベーターに乗る時には…エレベーター内には何も残っていないという算段ですよ！　後は、そのエレベーターが最上階に着いた時に…何か理由をつけてエレベーターから一番最後に出る状況を作り…出る前に6階と2階のボタンを押すだけ…』

貞伍の遺体を発見してから屋上に向かった時、昼川は「怖い」と理由を付けてエレベーターの中にとどまろうとしていた。あれは本当に怖がっていたわけではなく、最後にエレベーターを降りるための演技だったのだ。

『そうすれば、来た時のようにエレベーターは6階で車椅子を乗せて2階で降ろし…後で警察に発見されても、犯行現場から離れた場所でなぜか動き続けていた車椅子にしか見えませんからね…』

これで、昼川のトリックはすべて見破られてしまった。

『ちなみに、コナン君達がそこへ来た時に窓の下の壁にペンキ缶が張り付いてなかったのは…車椅子の足カケがぶつかった衝撃で壁からはがれ…車椅子が半回転した反動で飛ばされたって所でしょう…。まぁ、被害者が着ていた服から、犯人が着ている服の繊維が出れば決まりでしょう…。女性が大人の男性を車椅子に座らせるには、しっかり体を抱えなければいけませんから…』

コナンは一度言葉を切ると、ちらりと昼川の方を横目で見ながらつけくわえた。

『もっとも…振り込め詐欺の首謀者と目されている男と、被害者の遺族であるあなたが和解して抱き合って喜んだと証言されるのなら話は別ですが…』

「フン…」

昼川は、新一の言葉を鼻で笑った。そして、次の瞬間大きく顔をゆがめ、せきを切ったように語り出した。

「そんな吐き気のする偽証をするぐらいなら、はっきりと告白しますよ！　私があの男を車椅子に乗せて、地獄に叩き落してやったってね！」

「じゃあもしかして例の幽霊騒ぎは、このトリックを何度も試したからですか？」

昼川の自白を受け、目暮警部が冷静に聞く。昼川はあきらめたように視線を落とすと「いや…」と否定した。

「私はあの男がここの窓を割った時にペンキ缶を置くのを思いついただけ…何度も試したのは私じゃない…。前に私があの男の部屋を訪ねた時…無人のエレベーターから無人の車椅子が出て来るのを私に見せたのはあの男の方…」

「ま、まさか被害者本人がこんな仕掛けを⁉」

高木刑事が、信じられないという表情を浮かべる。目暮警部も唖然としているようだ。

「ええ、あの男…エレベーターを動かした仲間との電話を切って笑いながらこう言ったわ…うざいマスコミやこの別館の客共を全て追っ払う為の『ジジイの幽霊大作戦』だって…」

絞り出すように言って、昼川は目に涙を浮かべた。

「だからあの車椅子に乗せてやったのよ…あの男に思い知らせてやる為に…。父が…車椅子に乗ってまであの男に頼みに来た…あの切ない思いをね…」

——その後、上住貞伍さんの隠し口座が見つかり、金の流れから詐欺グループが次々に逮捕され…振り込め詐欺の首謀者は被疑者死亡のまま書類送検されて、振り込め詐欺も殺人事件と共に幕を閉じた…。
そして…——
「ええっ⁉　あの事件って新一が解いたの⁉」
いつものように登校した蘭は、園子から事件の顛末を聞かされて驚いていた。事件に居合わせたものの、蘭も園子も事件が解決した現場にはいなかったため、誰が謎を解き明かしたのかは知らなかったのだ。

「そうよ！　高木刑事を問い詰めたらゲロったわ！　コナン君に電話もらって、ちょちょいのちょいで真相を見抜いてくれちゃったってね…」

園子は周りのクラスメイトたちに聞かれないよう声を潜めて言うと、

「だったら、愛しの恋女房にも電話くれてもいいのにねぇ？」

と、からかい交じりに続けた。

蘭の頬がぽっと赤く染まる。

「そ、そーいえば、あの世良って人も探偵だったってコナン君が言ってたよ…」

無理やり話題を変えると、蘭は怪訝そうに眉根を寄せた。

「あの人、別れ際に『またすぐ会える』とか言ってたけど…どーいう意味だったんだろ？」

「さぁ…蘭に気があるんじゃないの？」

その時、扉がガラッと開いて担任の先生が教室の中へと入って来た。制服を着た女子生徒を一人連れている。

「えー紹介しよう！　今日からこのクラスの一員となる…」

教壇で先生の隣に立った女子生徒の顔を見て、蘭と園子は「え？」と声をそろえた。

「世良さんだ！」

先生が紹介したのは、バスの中で会ったあの、世良だったのだ。

（ええぇぇ⁉）

蘭も園子も口をあんぐりと開けて驚いた。

世良が転校してきたことも驚きだが、それ以上に蘭が気になったのは、世良の制服。

（――っていうか、スカートはいてる‼）

（女かよ⁉）

と園子も度肝を抜かれてしまった。

バスで会った時は黒いパンツ姿だったし、自分のことを『ボク』と呼んでいたので、二人ともてっきり世良は男の子だと思い込んでしまっていたのだ。

「ボクの名前は世良真純！　ヨロシクな！」

世良はクラスメイトたちに向かって、少年のような笑顔で挨拶した。

探偵事務所籠城事件

DETECTIVE CONAN

MASUMI SERA SELECTION

蘭たちのクラスに転校してきた世良は、さっそくクラスメイトたちに囲まれていた。

「ねぇねぇ…世良さんってどこに住んでるの？」

女子生徒が興味津々に聞く。

「んーと、今んトコホテル暮らしかな？」

世良が答えると、別の男子生徒も「どこから来たんだ？」と質問を重ねた。

「3年前から親と一緒にアメリカに住んでたんだけど…やっぱボクが生まれ育った日本に住みたいって我がまま言って、東京に戻って来たんだよ！　その方が探偵もやりやすいしね！」

「へぇ――、世良さんって探偵なの？」

「女工藤だな！」

生徒たちが感心したように言うと、世良はきょとんとして「工藤？」と聞き返した。

「我が帝丹高校が誇る名探偵よ！」

「まぁ、今は休学中だけどな！」

世良は前回のホテルの事件で、電話越しにではあるが工藤新一と会話している。しかし、そのことは明かさず「ふ――ん…」とどうでもよさそうに相槌を打つだけだった。

クラスメイトたちの注目を集める世良の様子を、蘭と園子は「……」と遠巻きに見守っていた。

夕方。蘭と園子は、今日のことを話しながら帰路についていた。

「世良さん、大人気だったね！」

「そうねぇ…明るくて気さくでボーイッシュでカワイイし…その上、截拳道の使い手の女探偵！」

園子が、世良の長所をすらすらと並べたてる。

「〝ボクっ娘〟っていうのもあるかもね♡」

蘭が楽しそうに言うと、園子はニヤリとした。

「まぁ、貧乳なのが玉に瑕だけどねぇ…」

園子が茶化して言った途端、

「悪かったね！　ペチャパイで！」

後ろから蘭と園子の肩に腕を回し、ガバッと勢いよく抱きついてきた人物がいた。世良だ。

「わっ」

驚く園子をしり目に、世良は機嫌よくブレザーの胸元を広げてみせると、明るく笑った。

「でもママは結構巨乳だから、ボクもその内出て来るはずだよな！」

あけすけな調子で返され、蘭も園子も「ま、まぁ…」「そ、そだね…」と呆気に取られてしまう。

「ところで、コナン君って毛利さん家に住んでるってホントか？」

「う、うん、そうだけど…」

蘭がうなずくと、世良は顔を輝かせた。

「んじゃ、家に遊びに行っていい？」

「いいけど…今日、コナン君は確か…」

* * *

蘭について毛利探偵事務所までやってきた世良だが、残念ながらコナンの姿はなかった。

事務所にいた毛利小五郎からコナンがいないことを告げられ、世良は「ええっ!?」と目をむいてしまった。

「たった今出かけた!?　そのなんちゃら博士っていう家にか？」

「あ、ああ…明日の朝早くキャンプに出かけるから、今日はガキ連中とあっちに泊まるって…」

「くっそー、タッチの差かよ!?」

世良は、悔しそうに頭を抱える。

突然やって来て騒々しくする世良のあまりのいきおいに、小五郎は、

「誰だ？　この娘…」

と、引き気味に蘭を見た。

「転校生の世良さん！　探偵だってさ！」

同業者と知るなり、小五郎は嬉しそうな表情になった。

「ホー…女子高生探偵か！　んじゃ、この名探偵毛利小五郎は知ってるかな？」

「ああ…眠りの小五郎さんだろ？　ネットで日本のニュースチェックしてたら、よく名前が出てたよ…」

「世良さんはこの前までアメリカに住んでたらしいから…」

蘭の説明に、小五郎が「へぇー…」と相槌を打つ。

「難事件を色々解決して来たみたいだな！」

「ああ、まあな！」

小五郎が得意げにうなずくと、世良は少し声を低くして含みのある口調で聞いた。

「…そして、いつもそばには…あの江戸川コナン君がいたんだよね？」

「あ、ああ…まぁ…」

なぜ世良がそんなことを知っているのかと少し戸惑いつつも、小五郎はうなずいた。

「じゃあさ！　お父さんに事件の話色々聞かせてもらえば？　ネットのニュースより詳しく聞けると思うよ！」

蘭が嬉しそうに提案するが、その隣で小五郎は（——っていっても、ほとんど覚えてないが…）と焦っていた。

ほとんどの事件において、実際に推理をしているのは小五郎ではなくコナンなのだ。その間、小五郎は腕時計型麻酔銃を撃たれて眠らされていることが多い。だから、事件の詳細を聞かれるといつも困ってしまう。

「ウーン…探偵として聞きたいトコだけど、また今度でいいよ…。コナン君がいる時に…たっぷり聞かせてもらうよ！」

そう言うと、世良は出入り口のドアへと向かった。そのまま出て行こうとするが、ドアを開けると、そこには中年の女性が三人立っていた。

女性たちは、ドアの前で世良の話を聞いていたらしく、

「じゃあ、そのお話…私達にじっくり聞かせてくださいね！」

と、満面の笑みを浮かべた。

「え？」

きょとんとする世良をしり目に、三人の女性は口々に自己紹介を始めた。

「私達は３人共女流ミステリー作家で…」

口火を切ったのは、小太りで黒い帽子をかぶっている、光井珠実。四十一歳だ。

「ＳＮＳで知り合った友達なんです！」

三十六歳の湯地志信が明るく続ける。ウェーブのかかったボブヘアをした、小柄で痩せた女性だ。

「今日は名探偵の毛利さんのお話が聞けると言われて来たんですけど…」

最後に口を開いたのは二瓶純夏。三十九歳で、長い黒髪に黒縁の眼鏡をかけている。

「沢栗さんに聞いてませんの？」

二瓶が聞くが、小五郎は訳がわからず「――ってかＳＮＳって？」と困惑した。

「ソーシャル・ネットワーク・サービス…ネットで呟いたりもするアレだよ！」

世良が説明する。

蘭は『沢栗』という名前に心当たりがあったようで、「あのー」と女性たちに声をかけた。

「もしかしてその沢栗さんって…先月亡くなったミステリー作家の沢栗未紅さんですか？」

「ああ…彼女もSNS仲間だったけど…」

光井がうなずくと、二瓶が、

「今日、私達をここへ誘ったのは…」

と続く。

「彼女のお兄さんの…」

湯地が言いかけたところで、いつの間にかドアの陰に立っていた男が口を挟んだ。

「そう…この俺だ…」

男は沢栗勲、三十七歳。沢栗未紅の兄で、ベレー帽をかぶり無精ひげを生やした背の高い男だ。

「あら沢栗さん…」

二瓶が振り返る。

「どういう事？」

「話が通ってないようだけど…」

湯地と光井が不思議そうに聞くと、沢栗は「そりゃそうだ…」とうなずいて右腕を上げた。

見ると、その手には拳銃が握られている。

ドオン!!

天井に向けられた銃口が火を噴き、事務所内に発砲音が響きわたった。

蘭も世良も、「!?」と驚きに息をのむ。

「アポなしなんだからよ…」

低い声で言うと、勲は後ろ手にバタンとドアを閉めた。

「え？」

「ええ!?」

三人の作家たちは、うろたえるばかりだ。

勲はずかずかと事務所の中央まで入ってくると、入り口から見て右側の壁を銃で指した。

「毛利探偵以外は全員携帯を机の上に出して…向こうの壁際まで行ってもらおうか！」

横柄に言うと作家たちに銃口を向け、

「ぐずぐずするな!!　早くしろ!!」

と急きたてる。

「は、はい!!」

彼女たちは言われるがまま携帯電話を置くと、おびえた表情で壁際に寄った。

蘭も自分の携帯電話を机の上に置き、男の指示に大人しく従うそぶりを見せたが．実は
「………」と男の隙をうかがっていた。なんとか反撃したいが、男は至近距離で蘭に銃口を向けている。一人で抵抗するには、危険すぎた。

「ボクは足…君は拳銃…」

蘭の後ろにいた世良が、手に持った携帯電話で口元を隠しながらボソッと言った。

(え？)と驚いた蘭が、一瞬動きを止める。世良は、蘭の体を男から隠すようにして後ろから腕を伸ばし、携帯電話を机の上に置きながら続けてささやいた。

「それでこの男を制圧する…ＯＫ？」

確かに世良と蘭が力を合わせれば、男を撃退出来るかもしれない。世良の腕前は、実際に手を合わせた蘭はよくわかっている。

蘭は「うん…」とうなずいた。

すると、二人の様子に気づいた勲が大声を出す。

「オラ！　置いたらさっさと壁際に行かねぇか!!」

世良はなだめるように両手を広げると、次の瞬間、ヒュッとすばやく動いた。勲は世良の動きを目で追うことすらできない。

バシュ！

足元を蹴られ、勲は「おわっ」と無様にバランスを崩した。その隙に蘭がガッと男の手元を蹴り上げる。勲はたまらず拳銃を手から放して、背中から床に倒れた。

世良は勲の上に馬乗りになると、

「おいお前!!　一体どーいうつもりで…」

と、問い質した。勲は「止…め…ろ…」とうめきながら、左手に持った何かを世良に見せる。その途端、世良は表情をハッとさせ、いきおいよく勲からとびのいた。

「え？」

きょとんとする蘭を、世良が背中にかばって立つ。

「フン…空手のできる娘がいるとは聞いてたが…まさか2人もいるとは…コイツを着けて来て正解だったな…」

勲は立ち上がると、着ていたベストのファスナーをチー――…と開けた。現れたのは、爆弾だ。勲の胴体に大量の爆弾がぐるりと巻かれている。爆弾から延びたコードは、彼の手の中にあるスイッチへとつながっていた。

スイッチに指を添えたまま、勲は凄んだ。

「さぁ…名推理を聞かせてもらおうか…。眠りの小五郎さんよォ！」

その頃、阿笠博士の家ではコナンが、灰原哀や少年探偵団の面々と一緒に明日のキャンプの準備をしていた。コナンは、タオルなどキャンプに必要なものをリュックに詰めながら、世良と出会ったホテルの事件について灰原に話していた。世良について少し気になることがあったからだ。

「へぇー…じゃあ、その世良っていう探偵は…あなたの名前も、あなたが探偵だって事も知っていたのね？」

「ああ…」

「まぁ、新聞とかであなたの事を知り、興味を持ったただのファンね…。怪盗キッドが絡むとあなたやたらと顔出ししてるし…」

灰原が言うように、コナンは怪盗キッドのファンの間では有名な存在だった。コナンはこれまでに何度も怪盗キッドと対峙して、狙われた宝石を守っている。そのたびに「またまたお手柄小学生！」などという見出しと共に、顔写真が新聞に掲載されてしまうのだ。

「それに、最終的にその事件の真相を見抜いたのってあなたの方だったんでしょ？　とんだヘタレじゃない…」

「そ、そうだけど…」

コナンは言いよどむと、あごに手を当てた。

「何かアイツ…真相がわかっていたのに…オレに推理させたくてわざと間違えたような気がしてよ…」

実は世良は、コナンの実力を見抜いていて、わざと推理を間違えたのかもしれない――そんな推測を聞かされ、灰原は慌てて「ちょっと！」とコナンに詰め寄った。

「そんな怪しい人の前であなた、工藤新一の声で推理を披露したっていうの!?」

「あ、ああ…ああするしか思いつかなかったし…。それにアイツ、敵じゃないっていうか…何かどっかで会った気がするんだよな…。ひょっとしたら知り合いの誰かに似てて、会ったような気になってるのかも…」

「気になってるって…何が？」

吉田歩美に背後から声をかけられ、コナンは慌てて「あ、いや…」とごまかした。歩美の言葉を聞いた円谷光彦と小嶋元太が、顔を見合わせる。

「気になるっていえば、蘭さんが連れてた高校生…」

「ああ…見た事ねぇ男だったよな？」

二人が話すを聞いて、コナンはうろたえた。

「え？　蘭姉ちゃんが知らない男と？」

「ここに来る時に通りの向こうで見かけたよ！」

歩美が言うと、光彦が「でもあれ、女の人じゃありませんでした？」と首を傾げた。

コナンは、蘭が誰と一緒にいたのか、気になってたまらなくなってしまった。

「気になるんなら電話して確かめてみれば？」

灰原の楽しげな様子に、コナンは「………」と顔をしかめた。蘭のことを気にしていると灰原に見透かされたようで、なんとなく悔しくなってしまったのだ。電話はするけど。

毛利探偵事務所では、緊迫した状況が続いていた。

銃声を聞いた近所の住民が、何事かと心配して電話をかけてきたのだ。勲に銃で脅され、小五郎は仕方なく電話に出た。

「あー　いえいえ…大丈夫、大丈夫！　さっきの大きな音はTVの刑事ドラマの音でして…ちょっとボリュームが壊れてましたけど直りましたので…はい…ご迷惑をかけてすみませんでした…」

小五郎がうまくごまかして電話を切ると、勲は薄笑いを浮かべた。

「よーし…それでいい…。さあ名探偵…俺の望みを叶えてもらうぜ…」

そう言って、デスクに座る小五郎にグッと銃を突きつける。

デスクの上には、蘭たちから没収した携帯電話が並べられている。その内の一つから、

「♪～♫～」と着信音が流れた。

「あ！　それ、わたしの携帯…」

蘭が慌てて言う。

「くそっ！　電源切ってねーのかよ!?」

勲は悪態をつきながら、着信している携帯電話をのぞき込んだ。勲は右手に拳銃、左手には爆弾のスイッチを握っているので、どちらかを離さなければ携帯電話を手に取ることが出来ない。

「下手に電話切ると怪しまれるよ！」

焦る勲に、世良が追い打ちをかけるように言った。

「何!?」

「コールしてるのは相手にもわかるし、あんまり出ないと心配になって様子を見に来ちゃうかも…ここはさっきの小五郎さんみたいに、適当に受け答えして切った方がいいと思うよ！」

「そ、そうだな…」

世良の言うことももっともだ。

世良に背中を押され、蘭は着信を続けている携帯電話を手に取った。

「その代わり、妙な事を一言でもぬかしやがったら…」

勲が蘭の方に銃口を突きつけて念押しする。蘭の肩を抱きながら、世良は「わかってるって！」と明るく答えた。

蘭が、こわばった表情のまま電話に出る。

「も、もしもし…」

『あ、蘭姉ちゃん？　ボクだけど…今、電話マズかった？』

電話をかけてきたのはコナンだった。蘭がなかなか電話に出なかったので、タイミングが悪かったのではないかと心配しているようだ。

「だ、大丈夫！　ちょっとトイレに入ってただけだから…」

蘭がごまかすと、コナンは本題に入った。

『どーでもいい事なんだけど元太達がさー、蘭姉ちゃんが知らない男と歩いてたっていうからね…』

「知らない男と歩いてた？」

蘭には心当たりがなかったが、少し考えてすぐにピンときた。

「ああ…きっとそれは今日、転校して来た…」

そう言いかけた時、電話に顔を近づけて蘭とコナンの会話を聞いていた世良が、突然蘭の手から携帯電話を奪い取った。満面の笑みで電話に出ると、

「ボクの事だよー!!」

と楽しげに告げる。

(え？　何でアイツが!?)

突然世良が電話に出たので、コナンはいっそう驚いた。

「じゃあそーいう事だから、明日のキャンプ、エンジョイしろよ！」

そう言うと世良は、一方的に会話を終わらせて、折り畳み式の携帯電話をパタッと閉じてしまった。「あ…」と唖然とする蘭にはおかまいなしで、

「これでいいよね？」

と、マイペースに勲の方を振り返る。

「あぁ…携帯を机の上に置いて壁際に戻りな！」

勲に命令され、世良は「ヘイヘイ…」と余裕の表情で携帯電話を机に戻した。そして、再び蘭の肩を抱き、最初に待機させられていた壁の前まで戻っていこうとする。その途中でふいに思い出したように勲の方を振り返った。

「それよりさー…さっき言ってたあんたの要求…もう一度話してくれない？　早口でよく聞き取れなかったからさー…」

阿笠博士の家では、コナンが興味津々の少年探偵団たちに取り囲まれていた。

「おい！　あの男誰だったんだよ？」と元太。

「教えてくださいよ！」と光彦。

「コナンく～ん？」と歩美。

三人とも蘭が一緒に歩いていた男性が誰なのか気になって仕方がないようだ。しかしコナンは、真剣な表情で「シッ」と人差し指を立てた。

「……」

さっきまで蘭と話していた携帯電話を黙って耳に当てている。

（この携帯電話…まだつながってる…）

世良は携帯電話を机の上に戻す時、通話を切らなかったのだ。そのおかげで探偵事務所の中での会話を、電話を通してコナンも聞くことが出来た。

「――ったく…念の為にもう一度説明してやるよ…」

通話口から聞こえてくるのは、聞き覚えのない男の声だ。

「俺の妹、沢栗未紅は若くして直本賞を取ったベストセラー作家だったが…先月、群馬の温泉旅館で手首を切って自殺したと警察は言いやがった…だが、俺は自殺だとは思ってねぇ!!一緒に温泉に行ったこの3人の中の誰かに殺されたんだ!!」

この三人というのは探偵事務所を訪ねてきた三人の作家、光井、湯地、二瓶のことだ。

「その証拠になりそうな物は…持って来た! だから解いて欲しいんだよ…眠りの小五郎さん、あんたの名推理で…。まぁ心配すんな…犯人がわかったら…俺がそいつをブチ殺して、俺もあの世に消えてやっからよォ!!」

男の話から状況がわかり、コナンは(なに!?)と驚いて携帯電話を握りしめた。男の声はなおも続く。

「…といっても、俺が起き続けているのも限界がある…。明日の朝になりゃ…この爆弾は爆発しちまうけどな!!」

(な…何だとォ!?)

毛利探偵事務所に爆弾を持った男が立て籠っている——その事実に気づき、コナンは愕然とした。

「ではこういう事か？」

コナンの話を聞いた阿笠博士は状況をまとめた。

「毛利探偵事務所に女流ミステリー作家３人と…拳銃を手にした男がやって来て…死にたくなければ事件を解けと、毛利探偵に要求した…。解いて欲しいのは、その男の妹である直本賞を取ったミステリー作家、沢栗未紅さんの自殺の真相…。妹さんは自殺じゃなく、先月、妹さんと一緒に群馬の温泉に行った、その３人の作家の中の誰かに殺されたんだと言っておるんじゃな？」

「しかもその男は体に爆弾を巻いていて、犯人がわかったらその犯人と心中しようとしてるのよね？」

灰原がパソコンを操作しながら続ける。

「ああ…下手に取り押さえようとして、爆弾のスイッチを押されちまったらアウトだ…。それにその男…『朝になったら爆発する』って言ってたから、時限式にもなってるかもしれねえな…」

コナンの言葉を聞いて、光彦、歩美、元太は血相を変えた。

「そ、そんな…」

「そこには蘭姉さんもいるんでしょ？」

「ヤバイじゃんかよ!?」

しかも毛利探偵事務所があるのはビルの二階だ。そこで爆弾が爆発すれば、一階の喫茶店ポワロや近隣の住民にも大きな被害が出るだろう。

コナンは灰原の方へ顔を向けた。

「灰原！　沢栗未紅さんが自殺したっていう温泉旅館って、ネットに載ってたか？」

「ええ…事件の日時は先月の14日…一緒に行ってたその小説家3人の写真も出てるわ…。今、プリントアウトするわね…」

パソコンのモニターにはネットニュースの記事が映し出されており、そこには、『若き直本賞作家　沢栗未紅自殺！』と見出しが躍っている。温泉旅館に同行していた友人として、三人の顔写真も掲載されていた。さらに画面を下にスクロールすると、勲の写真も載っていた。

「あら、その旅館…今、探偵事務所に立て籠ってる男も一緒について行ってたみたいね…。

遺体の第一発見者は、隣の部屋にいた彼のようだから…」

写真の勲は手で顔を覆い、大粒の涙を流している。

「妹から『サヨナラ』っていうメールをもらい、不審に思い妹の部屋のドアをノックしたけど返事がなく…仕方ないから、ベランダづたいに窓を破って妹の部屋に入ったら…部屋中に湯気が立ち込めていて…その部屋の風呂場で切った手首を湯船に浸け、部屋の鍵と携帯電話を握りしめて息絶えてる妹を見つけたって彼は証言したようね…。もちろん、部屋の鍵はオートロックじゃなかった…」

（つまり完全な密室だったってわけか…）

コナンは、じっと考え込んだ。

（なのに何でその男は殺人だって言ってんだ？）

「もしかしてその旅館の名前って降塚屋か？」

阿笠博士がパソコンのモニターをのぞき込んだ。

「ええ…」

「だったら先月、ポアロのマスターが町内会のみんなと行った温泉旅館じゃよ！　『毛利君が来てたら眠りの小五郎が見られたかも』ってマスターが言っておったから…」

元太が「ええっ⁉」と大声を上げた。「ポアロ」というのは、毛利探偵事務所が入っているビルの一階にある喫茶店だ。そこのマスターも沢栗未紅が自殺した温泉旅館に出かけていたとは、なんという偶然だろう。

「その町内会の面子ってわかるか？」

「あ、ああ…その時みんなで撮った写メをマスターから送ってもらったからのォ…」

コナンに聞かれ、阿笠博士は携帯を操作して画像を探した。

「じゃあオメーらは、博士の写メに映ってるマスター以外の人の所に行って、プリントアウトしたこの3人の事件前後の様子を、聞いて来てくれ！」

コナンに指示され、元太と歩美は「うん！」と力強くうなずいた。

「でもマスターはどーするんですか？」

「マスターがいる喫茶店ポアロは探偵事務所の真下！　警察に連絡して、客と一緒に避難させるから…あの周辺には絶対近づくんじゃねぇぞ‼」

コナンは強い口調で光彦に言い含めると、毛利探偵事務所の様子を確認するため再び携帯電話を耳に当てた。

「でもやるじゃない…あの探偵事務所の彼女…」

「ん？」

「電話を切ったフリをして携帯ストラップのマスコットを挟み…通話中のままにしたんでしよ？」

灰原が感心したように言うが、コナンは「いや…」と否定した。

「それをやったのは蘭じゃねぇ…」

「え？」

「なぜかいるんだよ探偵事務所に…さっき話してた…世良っていう探偵もな‼」

世良はコナンに会うために毛利探偵事務所に来たのだが、その経緯をコナンは知らない。

電話の向こうからは勲が小五郎に詰め寄っている声が聞こえてきていた。

「さあ、毛利小五郎…ここへ来てからもう4時間はたったぜ…。そろそろ事件の真相を聞かせてもらおうか…この3人の中の誰が、妹を殺った犯人なんだよ⁉」
勲に詰め寄られ、小五郎は困りきって手に持った紙の束を持ち上げた。
「――っていうか…あんたが持って来たこの新聞のコピーによると、現場は完全な密室…しかもそれを証明したのは、遺体の第一発見者であるあんた本人だ…。これのどこが殺人だと…？」

「音がしたんだよ…。ぐったりした妹を見つけて、携帯で救急車を呼んでいる時に、窓の方からピキって…。んで窓の所に行って見たら、窓の外のベランダに細かいガラスの破片が落ちてたんだよ！　俺は窓の外からガラスを割ったのに、おかしいだろ!?　こりゃーきっと、犯人が部屋のどこかに隠れてて…俺が窓ガラスを割って部屋に入り、妹に気を取られてる隙に…その割れた窓からこっそり出て行った証拠だよ!!」

「でもその破片…あんたが踏んで窓の外に持ってったんじゃないのか？　慌てて様子を見に行って…」

小五郎が控えめに指摘するが、勲は聞く耳を持たない。

「警察もそう言ってたが、俺はその時、窓の外に出てねぇ!!」

「あんた…カッとなると後先考えずに行動しちゃうタイプ？」

興奮する勲に、世良が冷静に指摘した。

「ああ…サバゲー仲間にはキレやすい奴だってよく言われるよ…」

勲の答えを聞いた世良は、三人の作家たちの方をじっと見つめた。

「だったら、あんたの推理もまんざら的外れじゃないかもね…。あんたと知り合いのこのおばさん達なら…あんたのその性格知ってて利用できそうだしね…」

「それに見てみろ！　警察が来る前に俺が撮ったその写真！　風呂場のドアの前のバスマットに血の指の跡が付いてるだろ？」

勲に言われ、小五郎は、記事と一緒に渡された写真をまじまじと見た。風呂場の扉の前の床を写した写真だ。

「た、確かに…」

風呂場と脱衣所の境にあたる部分の床とバスマットに真っ赤な手形が付いている。さらに手形の先には、指先で触れたような血の跡がわずかに残っていた。まるで誰かが、血まみれの手で床を這って外に出ようとしたかのようだ。

「そいつは多分、妹が犯人に手首を切られた風呂場から…必死で抜け出そうとしてついた血の跡だ!!　でなきゃそんな所に血なんか付かねぇだろ!?」

「でもだからってあの3人を疑うのは…」

「事件直前にこの3人は、妹の部屋に行ったんだよ！　だよな？」

勲に詰め寄られ、三人の作家たちはおずおずと口を開いた。

「え、ええ…未紅さんを含めた私達4人の中で、最初に100万部を突破した人が温泉旅行に招待すると約束をしていて…」

光井が言い、湯地が続く。

「ベストセラー作家になったのは未紅さんだったから…どーせなら、その旅館で彼女にもらってたデビュー作の初版本に、サインを入れてもらおうってSNSで盛り上がってて…」

「だからあの日、それぞれ彼女の部屋にお邪魔しましたのよ…。まぁ、偶然3人共スレ違いだったようですけど…」

と、二瓶。温泉旅館では、四人とも別々の部屋に宿泊していたようだ。

「その本、持って来たよなぁ？」

勲に脅され、三人は「は、はい…」と慌ててカバンから本を出した。

「ちなみに…そんな本、どうやって持って来させたんだ？」

小五郎が、引き気味に聞く。

「妹があんたと知り合いだってふかしたんだよ！　あんたの話を聞きたかったら、妹とマブダチだっていう証拠のその本を持って来なってな！」

早口に言うと、勲は三人の作家たちの方をあごでしゃくった。三人が開いた本には、それぞれ未紅のサインが入っている。

「ホラ、見てみろよ！　サインに日付も入ってる！　この３人が事件のあったあの日、妹に会った証拠だよ！　それによぉ！　妹はその時の様子をＳＮＳで実況中継で呟いてたんだ！　これがその呟きのコピーだよ！」

勲はまくし立てると、ＳＮＳの画面をプリントアウトした紙を小五郎に突き出した。

「でもさ、この人達ＳＮＳ仲間なんだから、その呟きを見てたんじゃないのか？」

世良が冷静に指摘する。

「いや…妹は俺のＩＤ使ってこっそり呟いていたんだよ！　こいつらに見られねぇようにな！」

「そういえば彼女の部屋に行った時…」

「しきりにメール打ってたけど…」

「呟いていたんですのね…」

光井、湯地、二瓶が順番に言う。三人とも未紅が勲のアカウントを使ってＳＮＳに投稿をしていたことは、知らなかったようだ。

「まぁ読んでみろ！」

勲に急かされ、小五郎は慌てて未紅の投稿を読み上げた。

「えーっと…『最初のサインをねだりに来たのはゾウ…風呂上がりでまだ髪も乾かしてないのにやっかいなゾウね』…。こ、このゾウっていうのは？」

「い、妹は人を動物にたとえるのが趣味だったんだよ‼　いいからさっさと読めよ‼」

勲は小五郎の方へ銃口を向けて急き立てる。ゾウ、というのは、三人の作家の内の誰かに未紅がこっそりつけていたあだ名のようだ。

「『次に来たのはキツネ…また言い掛かりをつけて来た…うざいうざい…サイン書いたんだから早く帰ってよ！』『最後に来たのはＫＹのネズミ…速攻でサイン書いてとっとと追っ払っちゃお！』『うっざ――まだ居座ってるよ…ヤバ…眠くなって来た…どうしよう…』…で、呟きは終わってるようだが…」

ＳＮＳに疎い小五郎は困惑した様子だ。

「な？　わかっただろ？　こんな呟きを残してる妹が、自殺なんかするわけねーって事と…この３人の中に、一番最後にやって来て妹を眠らせ、自殺にみせかけて殺した…ネズミがいるって事がな‼」

勲と小五郎たちのやり取りは、携帯電話を通じてコナンたちの耳にも入っていた。

「ゾウに…キツネに…ネズミか…」

未紅が亡くなる前にＳＮＳに残したあだ名をコナンは改めてつぶやいた。

「亡くなった未紅さんが何を基準にして、そんなあだ名を付けてたかがわからねぇと…」

「その３人の小説家のプロフィールなら、写真付きで詳しく載ってたわ…」

灰原が、パソコンを操作しながら言う。

「あの３人、そんなに有名なのか？」

「いや…３人共趣味でネットで小説をアップして、たまに同人誌を作って売ってたアマチュア…みんな小説家気取りで、ＨＰを立ち上げてたから載ってたのよ…」

灰原は三人の作家たちのＨＰを順番に参照しながら、それぞれのプロフィールを読み上げた。

「光井珠実さんは41歳で…未婚でずっと実家の石材店を手伝っている牡牛座のＡ型…。湯地志信さんは36歳で…バツイチで近所のパン屋さんで20年近く働いてる魚座のＢ型…。二瓶純夏さんは39歳…旦那が印鑑職人で、主婦の片手間にミステリーを書いてる獅子座のO型…。

ちなみに、未紅さんの兄の沢栗さんも検索したら、サバイバルゲームのチームのリーダーで
引っ掛かったわ…。チーム名はグリーンキャップ…」

パソコンの画面には、サバイバルゲーム用の銃を構えた勲が機嫌よく写った写真が表示さ
れている。グリーンキャップ、というネーミングを聞いたコナンは、

「アメリカ陸軍特殊部隊、グリーンベレーのもじりだな…」

と、元ネタのマニアックさにあきれた。

「この3人の見た目からするとゾウは光井さんで、ネズミは湯地さん、キツネが二瓶さんの
ようだけど…」

灰原がそう推測するが、コナンは「断定するのはまだ早いな…」と慎重だ。

その時、コナンに言われて町内会の人たちの聞き込みに回っていた少年探偵団たちが阿笠
博士と共に戻ってきた。

「その3人の事なら…」

「聞いて来たよ！」

「バッチリだぜ！」

光彦、歩美、元太はそれぞれ得意げな表情を浮かべている。

「この子らに感謝するんじゃぞ！　ビートルで町中を駆け回って調べたんじゃから！」

阿笠博士が子どもたちを見ながら言った。

「んで、何だって？」

コナンに聞かれ、まずは光彦が口を開いた。

「ノッポで眼鏡のおばさんは、すごく礼儀正しい人で…知らない子供達が散らかした、シャンプーとかリンスをきっちり片付けていたそうです！」

ノッポで眼鏡のおばさんとは、二瓶のことだろう。続いて歩美が言う。

「出っ歯で小柄のおばさんは、温泉好き！　1日に何回も温泉に入ってたみたいだよ！」

出っ歯で小柄なのは湯地だ。

最後に、元太が光井について証言した。

「一番怪しいのは太ったおばさんだよ！　青い顔して死んだ女の部屋から慌てて出て来たのを…自分の部屋のドアの隙間から見たってよ！」

「それを目撃した人って、亡くなった未紅さんの部屋の向かいの部屋だったのか？」

「いや…同じ側の隣の隣の隣の部屋だそうです…」

コナンに聞かれ、光彦がてきぱきと答えた。

「部屋から出ようとしたら、そのおばさんが怖い顔で走って来たからすぐにドア閉めたってさ！」

と、歩美が付け足す。

「その後、大騒ぎになった時の写真ならもらって来たぞ！」

元太がコナンに写真を差し出し、光彦が言い添える。

「警察が自殺現場の２０５号室に、到着した時の写真だそうです…」

「………」

コナンは受け取った写真を無言で確認した。浴衣姿の宿泊客たちが不安そうに見守るなか、警察が部屋の扉を調べている。その部屋が、未紅が自殺した２０５号室であることはすぐにわかった。開いた扉の外側には「２０５」のドアプレートがかかっていたからだ。

「その事、警察には言わなかったのか？」

「もちろん言ったそうですけど、『現場は密室だから関係ない』って山村警部に…」

光彦の答えを聞いて、コナンは頭を抱えてしまった。

「ああ、そうか…群馬県警はあのヘッポコがいたなぁ…」

群馬県警の山村ミサオ警部は、ドジで有名なヘッポコ刑事なのだ。

と、その時——、

『おい…この携帯つながってるじゃねーか!!』

コナンが持っていた携帯から、勲の苛立った声が響いた。

(やべっ、気付かれた!!)


机の上の蘭の携帯が外部とつながっていることが、勲にバレてしまった。

「くそ…小娘がなめた真似しやがって…」

勲は蘭の携帯を手に取ると、奥歯をギリッと噛みしめて銃口を蘭に向けた。世良が慌てて一歩前に進み出る。

「違う！　それをやったのは…」

『僕ですよ…』

落ち着いた若い男の声が、どこからか横やりを入れた。

「な!?」

勲が慌てて、手の中の携帯電話をパッと見やる。

『僕が彼女にそうさせたんです…。この工藤新一がね…』

「く、工藤新一だと⁉」

高校生探偵として有名な工藤新一のことは、勲も知っていたようだ。

しかし、蘭は（え？）と驚いてしまった。コナンの携帯電話とつながっていたはずなのに、どうして新一が電話に出ているのだろう？


工藤新一の声は、コナンが蝶ネクタイ型変声機を使って出していた。

「コナン君…また違う人の声出してる…」

電話に向かって工藤新一の声を出すコナンの様子に、歩美は引き気味だ。元太と光彦も、不審そうにコナンを見つめている。

「ホラ！　あなた達はもう寝なさい！」

灰原が慌てて元太たちの肩を押して、部屋から追い出した。

『僕も事件の詳細を聞いた方が、あなたの要望に答えられると思ってね…。それとも、この僕では不服ですか？』

電話の向こうから工藤新一に問い詰められ、勲は慌てて「い、いや…」と否定した。

「有名な高校生探偵が加わってくれるなら心強いがよ…」

『じゃあ、あなたが持参した事件の資料を全て写メで撮って…阿笠博士のパソコンに送ってくれと毛利探偵に伝えてください！　もちろん未紅さんがサインしたという3冊の本も写メで撮って…ついでにスピーカーにしてくれると助かりますが…』

「あ、あぁ…」

勲はうなずくと、小五郎に携帯電話を渡した。

「オラ！　さっさと撮らねぇか!!」

小五郎が不服そうに、写真を携帯電話で撮影する。

その様子を見ながら、蘭は混乱していた。

（し、新一が…何でコナン君の携帯に!?）

一方、世良も突然の新一の登場に何かを感じているようだ。「……」と押し黙って考え込んでいる。世良が新一の声を聞くのは、前回のホテルの事件に続いて二回目だ。前回も今回も、コナンの携帯電話を通して――。


『うーーん…』

血の付いた床とバスマットの写真や三人が持っていた小説の画像を受け取ると、新一は勲にいくつか質問をしてきた。

『こちらのモニターで見ると…二瓶さんのサイン本だけ…紙が歪んでるように見えるんですが…実際に見てどうですか？』

「あぁ…サインのページだけ、一回濡れて乾いたみてーに歪んでるぜ！」

小五郎に持たせた二瓶の本を確認すると、勲はいきおいよく二瓶の方を向いた。

「まさかてめぇか!?　妹を部屋の風呂場に連れてって、手首を切ったのは!?」

「ち、違いますよ!!　それに、その時濡れたのなら本全体が歪んでるはずでしょ!?」

二瓶が慌てて反論すると、勲は「そりゃそうか…」とあっさり納得した。

『次の湯地さんのサイン本ですが…手垢や傷みもなく…新品のように見えますが…本当に初版本ですか？』

コナンが言うように、湯地の本は他の二人の本に比べてきれいだった。本のページの、綴じられていない方――「小口」と呼ばれる紙の切り口――も、二瓶の本はでこぼこして不揃いだったのに、湯地の本はまっすぐにそろっている。

「あぁ…確かに初版第1刷って書いてあるぜ…」

勲が奥付を確認して言うと、湯地は慌てて「た、大切に保管してたから…」と説明した。

『そして、光井さんのサイン本ですが…ちょっと破れていますよね？』

「あるぜ！　破れた跡!!」

確かに、光井の本は、ページの上側が数センチほど縦に破れていた。

「そ、それは未紅さんがサイン書き終わったのに、意地悪してなかなか本を返してくれなかったからよ!!」

光井が慌てて言うのを聞いて、コナンは（意地悪？）と引っかかった。光井が説明を続ける。

「あの日、私はおなかを壊しててトイレが近かったのに、未紅さんの部屋のトイレ使わせてくれなかったのよ！　すぐに自分が使うからダメって言われてね！　まぁ、嫌がらせだって事はわかってたわ！　温泉の大浴場に入って来たくせに、部屋の風呂に入ったなんて嘘ついてたし…」

「何で嘘だってわかんだよ？」

「だって未紅さんの部屋から出る時、私、間違えて彼女のスリッパ履いたら、ぐっしょり湿ってて温かかったもの！」

勲に聞かれ光井がいきおいよく答えると、二瓶が「あら」と反論した。

「私、彼女の部屋に上がる時、彼女のスリッパも揃えましたけど…濡れていなかったし温かくもなかったわ…」

「自分のスリッパを履いたんじゃないですか？　脂性みたいだし…」

湯地が光井の体型を見ながら言えば、

「失礼ねぇ！　私は乾燥肌よ!!」

と光井がすかさず口をとがらせる。三人のかしましいやり取りに、勲はうんざりしてしまった。

「うるせぇおばさん連中だ！　小鳥みてーにピーチクパーチク！　まぁ、そういう俺も妹にうるさくしてたから…ウグイスって妙なあだ名をつけられていたがな…」

未紅が兄の勲に付けたあだ名は、ウグイス――。

それを聞いた途端、コナンはピンときた。

(そうか、わかったぞ！　未紅さんのあだ名の法則が!!)

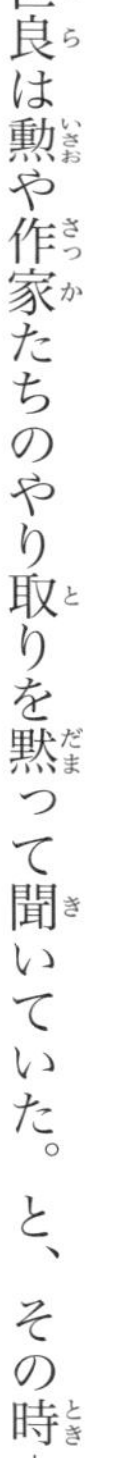

世良は勲や作家たちのやり取りを黙って聞いていた。と、その時――、

「!?」

窓の外で何かがチカッと光ったことに気が付いた。探偵事務所の向かいのビルの屋上に誰かがいるらしい。

「どうやら、工藤君の手を煩わせなくても済みそうだね…」

世良が低い声でつぶやくと、蘭は不思議そうに「え？」と聞き返した。


勲のあだ名がヒントとなって、コナンは真相にたどり着いていた。

（だとすると間違いない…犯人はあの人だ!!）

「その顔はいつものわかっちゃったって顔のようだけど…どうする気？」

灰原がコナンの表情の変化に気が付いて聞く。

「たとえ犯人をいい当てたとしても…探偵事務所に死体が２つ転がる事になるわよ！」

さっきの世良の言葉は、いったいどういう意味だったのだろう。

勲の目を盗み、蘭は小声でこっそりと世良に質問した。

「ねぇ…今、あなたが言ってた…新一の手を煩わせなくても済みそうって…どういう意味？」

「ボクが君の携帯に、ストラップのマスコットを挟んで通話中にしたのは…コナン君にも事件の事を伝えて調べてもらう為…。事件があった先月の14日は、この町内会の人達が温泉旅行に行った日だろ？　しかも、泊まった旅館はあの爆弾男の妹である小説家、沢栗未紅が自殺したっていう降塚屋…」

「そ、そうなの？」

蘭は驚いて、目を丸くした。どうして世良はそんな事情まで知っているのだろう？

「ああ…君のパパの机の上に、町内会温泉旅行の案内のＦＡＸが置いてあったから…。置きっ放しにしてるって事は、君のパパはその旅行に行ってない…ＦＡＸには旅館の地図とか集合時間とか色々書いてあったから、行くなら普通持って行くし、帰って来ても机の上には戻さないだろ？」

机の上にあったＦＡＸだけでそこまで見抜いてしまうとは——。

蘭は世良の洞察力に圧倒されつつも、「そ、そだね…」とうなずいた。

「だからコナン君に、その温泉旅行に行った人達の話を聞いて来て欲しくて、通話中にしたんだけど…なぜか電話口に出たのは…またしても工藤新一君だった…」

世良は嬉しそうにウィンクしてみせると、話を続けた。

「まぁ、コナン君と有名な高校生探偵にどんなつながりがあるかはわからないけど…ここは彼に交渉してもらって、あの爆弾男を説得してもらうしかない…。あの爆弾男、妹は自殺じゃなくこの3人の中の誰かに殺されたと思い込んでて…犯人がわかったらそいつと心中しようとしてるから…。…って思ってたんだけど、その必要もなくなったって事さ…」

「ど、どうして？」

世良は窓の外に視線を向けた。

「窓の外…光が見えるだろ？　あれは多分向かいの建物に…警察が到着した証拠だよ！」

世良の言うように、毛利探偵事務所の向かいの建物の屋上には警察の特殊部隊の隊員たちがすでに待機していた。隊員たちはライフル銃を構え、毛利探偵事務所の方を狙っている。

屋上だけでなく毛利探偵事務所のドアの前やビルの前にも、ずらりと待機していた。

『狙撃支援班配置完了！　狙撃対象確認！』

屋上からの報告を受け、指揮を執っている隊員は「制圧班はどうだ？」と無線を通して聞いた。

『事務所入り口に配置完了！　いつでも突入可能です！』

「了解！」

うなずくと、指令係は探偵事務所の様子をうかがいながら無線に向かって次なる指示を飛ばした。

「全班に告ぐ！　対象は1名であるが、拳銃及び大量の爆弾を所持している旨の情報あり！

こちらが指示するまで、常時稼働可能な状態で待機せよ！」

毛利探偵事務所で人質となっている蘭には、外の様子はわからない。すでに警察が到着していると世良から聞かされて、蘭は驚いた。

「け、警察が来てるの？」

「まず来るのは、刑事部捜査第一課に編成されてる特殊捜査班、通称ＳＩＴ…人質立て籠り事件とかが発生した際に重装備で出動し、犯人が説得に応じない場合は強行突入を敢行する…。だからもうそのドアの外に来てて、突入の機会をうかがってるはず…」

「え？」

蘭は事務所のドアの方を見た。人がいる気配などみじんもないが、本当にいるのだろうか？

「屋上から狙撃しようとしてるって事は、特殊急襲部隊ＳＡＴも支援に来てるみたいだね…」

「し、新一が呼んだの？」

「まぁ、呼ばなくても来ちゃうよ…この下の店の客達を避難させるには、警察にこの状況を説明しなきゃいけないから…。でも未だに警察による説得が開始されていない所をみると…相当信頼されてるようだね…君の彼氏…」

世良がチラリと蘭の方を見る。

「自分が必ず説得するから、それまで絶対に動かないように警察に要請したって所かな？」

彼氏、という言葉に蘭は思わず赤面してしまう。

世良は勲の方へと視線を移した。勲は相変わらず右手に銃、左手に爆弾のスイッチを握っていてなかなか隙を見せない。

「なにしろ相手は、自分の体に巻いた爆弾のスイッチに指をかけてるクレイジーな男…下手に突入したり、急所を外して狙撃したりして男を動揺させたら…スイッチを押されてボクらもふっ飛んじゃう…。それを止めるには説得するか、一撃で仕留めるしかなさそうだしね…」

『おい、まだか!? まだ解けねぇのかよ、工藤新一!?』

新一がなかなか事件の真相を解き明かさないので、勲は苛立っていた。もちろんコナンは、すでに未紅がつけたあだ名の法則に気づき、『ネズミ』が誰かまでたどり着いている。しかし、そのことを勲に告げれば、勲は『ネズミ』を殺してしまうだろう。かといって、このまま事件を解かずにいれば、勲は探偵事務所に立て籠ったままだ。『ネズミ』を殺させず、なおかつ勲を止める方法を、コナンは考え続けていた。

『そっちのパソコンにも送ったはずだぞ!! 妹が殺される前にSNSで打ち込んだ呟きを!! その呟きは、妹がこの3人をそれぞれ部屋に招き…自分のデビュー作の初版本にサインを書いた時の物で…その内容は…』

早口でまくしたて、勲は未紅の残したSNSの内容を読み上げた。

『「最初にサインをねだりに来たのはゾウ…風呂上がりでまだ髪も乾いてないのに、せっかちなゾウね…」「次に来たのはキツネ…また言い掛かりをつけて来た…うざいうざい…サイン書いたんだから早く帰ってよ!」「最後に来たのはKYのネズミ! 速攻でサイン書いてとっとと追っ払っちゃお…」「うっざ――まだ居座ってるよ…ヤバ…眠くなって来た…どうしよう…」で、呟きは終わってる…』

SNSの内容を読み終えると、勲はますます苛立った口調で続けた。

『つまり…この3人の中にいるんだよ…。一番最後にやって来て、妹を眠らせ風呂場で手首を切り、自殺に見せ掛けて殺した…ネズミって奴がな!!』

その時、コナンの隣で電話の内容を聞いていた灰原は、階段の陰から歩美、光彦、元太がこちらの様子をうかがっているのに気が付いた。

「！」

さっき寝るように言ったのに、どうやら事件が気になって起きてきてしまったらしい。

「ちょっとあなた達！　もう寝なさいって言ったでしょ？」

「だってー…気になって眠れないよ〜〜」

灰原に怒られたが、歩美は口をとがらせて反論した。

「それに言い忘れてた事があってよ…」

元太が言い、光彦がその内容について説明した。

「事件の事を聞きに行った時…町内会のほとんどの人が言ってました…。2、3日前にも、茶髪で迷彩服の男がボク達と同じ事を聞きに来たって…」

「え？」

「その人、本と写真を見せて聞いてたらしいですよ…。妹が書いたこのデビュー作の本を持ってうろついてた、この女連中を旅館で見かけなかったかって…」

灰原は腕組みをした。

(なるほど…聞き取り調査は済ませてるってわけね…)

電話で声を聞いた印象ではどうやらかなり短気な男のようだが、毛利探偵事務所に乗り込む前に一通りの調査は済ませていたらしい。

コナンは電話越しに、勲に向かって問いかけた。

「どうやらあなたも色々調べたようですが…どこまでつかんでます?」


「ああ…この3人の事ならかなり嗅ぎ回ったぜ…」

勲は改めて三人の作家の方を向くと、まずは二瓶に銃口を突きつけた。

『印鑑職人の女房の二瓶純夏は神経質で…知らない客が散らかしたスリッパをいちいち揃えていたらしいから…割りとズボラだった妹とは反りが合わなかったって事や…』

続いて湯地、光井に銃口を向ける。

『パン屋で働いてる湯地志信は…しょっちゅう温泉に入ってて…ひょっとしたら妹の手首を

切った時についた返り血を、風呂場で洗い流してたんじゃねーかって事や…実家が石材店の光井珠実は…妹の部屋から本を手にして大慌てで出て来る所を…3つ隣の部屋の客に見られてたって事もな！』

勲はかなり切羽詰まっているようだ。乱暴な口調で、電話の向こうにいる工藤新一に迫った。

「オラ！　早く教えろ!!　どいつなんだよ!?　妹がネズミって名付けた殺人犯は!?」

　その頃、屋上に待機していたSATの隊員は、ライフルの照準を勲に合わせようと悪戦苦闘していた。事務所の窓には大きな文字で『毛利探偵事務所』と貼られているため、内部の見通しが悪い。しかも、文字の間からかろうじて確認できる犯人らしき人物の手前には、毛利小五郎が座っている。そのせいで、勲だけをピンポイントで狙うのが非常に難しいのだ。

『どうだ？　狙えるか!?』

「いや…ガラスに貼られた探偵事務所の文字と…手前の毛利探偵が障害になって…」

勲が窓の前まで来てくれれば、簡単に狙うことができるのだが――。

（し、新一…）

すでに警察の特殊部隊が到着して、勲のことを狙っている――そのことを聞いた蘭は、動揺して、心の中で新一に呼びかけていた。

「もしかして『新一、何でまだ解けないのよ⁉』…とか思ってる？」

世良に声をかけられ、蘭は「え？」と驚いて顔を向けた。

蘭が思いつめた表情をしているのを見て、焦っていると勘違いされたらしい。世良は蘭を勇気づけるように「大丈夫！」と続けた。

「彼ならもう見抜いてるはずだよ…沢栗未紅さんを殺したネズミが…この光井珠実さんだって事はね…」

（ええぇ⁉）

蘭は声を上げずに驚いた。

「それを口にしない理由はただ1つ…犯人がわかったら、爆弾男はその犯人と心中してしまうから…。どうやら犠牲者を2人出さない、もう1つの方法をとるしかなさそうだね…」

「え？」

「もっとも、2人が1人になるだけだけど…」

世良の言う、「犠牲者を2人出さない方法」とは、つまり――外で待機している特殊部隊に勲を射殺させるということなのだろう。

「……」

困惑する蘭をよそに、世良は勲に「ねぇ！」と声をかけた。

「その携帯電話、随分長い間つけっ放しだけど電池大丈夫？」

「あん？」

「ACアダプターつなげた方がいいんじゃないか？」

世良に忠告され、勲が「そ、そうだな…」とうなずく。

「確か小五郎さんの机の引き出しに入ってたよね？」

世良に言われたが、小五郎には心当たりがないらしく「え？」と戸惑った表情を浮かべた。

しかし、「オラ！　さっさと出してつなげろ!!」と勲に急かされ、（入れてたか？）と疑いつつも机の引き出しを開ける。

その様子を見ながら、世良はさらに勲をそそのかした。

「あれ？　いいの？　自分でやらなくて……。小五郎さんが、引き出しの中に武器か何かを隠してたら…反撃されちゃうよ？」

世良たちの会話を携帯電話越しに聞きながら、コナンは（ア、アイツ…まさか…）と焦った。

世良の狙いは明白だった。勲に机の引き出しの中を探させることで、狙撃しやすい位置まで移動させようとしているのだ。

勲は世良の言葉に説得されて、「どいてろ!!　俺が探す!!」と小五郎を机から追い払った。

そして、自ら机の前にかがみ込み、引き出しを開けてACアダプターを探し始めた。

「対象が手前に移動！　照準に入りました!!」

勲が窓際の、しかも窓に貼られた文字に邪魔されない位置までかがみ込んだので、屋上にいる狙撃隊員は勲を狙うことができるようになった。世良の狙い通りだ。

「今なら狙撃可能！」

「何!?」

「撃ちますか⁉」

隊員たちは、緊迫した空気の中、次の指示を待った。

(撃て‼)

世良は、外にいる狙撃隊員に向かって、強く念じていた。今ここで勲を撃たなければ、より多くの被害が出てしまう恐れがある。これが自分にできる最善の行動だと、世良は固く信じていた。

しかし──、
ライフル銃を構えていた狙撃隊員が、「あ…」と小さな声を漏らした。世良や三人の作家たちも(な⁉)と驚愕して目を見開く。

なんと、蘭がカーテンを閉めてしまったのだ。

「な、何やってんだてめぇ⁉　殺されてぇか⁉」

突然の蘭の行動に驚いて、勲は蘭に銃口を向けた。

「今夜は冷えるからカーテン閉めようと思って…」

そう答えると、蘭は窓の外にチラリと視線を向けた。世良の言った通り、屋上に警察らしき人影が待機しているのが見える。

「それにACアダプターなら戸棚の中…。今、出してあげますから…」

毅然として言うと、蘭はシャッとカーテンをすべて閉めきってしまった。

「カ、カーテンが閉まって…狙撃対象確認不能!!」

屋上にいた狙撃犯の隊員は、構えていたライフルを下ろし、そう報告した。


「君…何考えてるの？」

世良が、目をしばたたいて蘭を見つめた。せっかく、もう少しで勲を止められるところだったのに、よりによって蘭に阻止されてしまったのだ。

「目の前で人が死ぬのが嫌なだけ…」

「嫌って…」

蘭の答えが信じられず、世良は瞳を揺らした。

「それに…新一なら誰も死なせたりしないから！　絶対!!」

力強く言い、蘭は確信に満ちたまなざしを世良に向けた。世良の表情が、不意をつかれたようになる。

一方、勲は、自分が蘭に守られたとは知らず、携帯電話に向かってがなり立てていた。

「さぁ、工藤新一！　推理の材料は全て出した!!　妹を殺ったのは誰なんだ!?　それでもわからねぇんなら仕方ねぇ!!　悪いがこの事務所ごとふっ飛ばさせてもらう!!　俺は妹を殺ったネズミを…ブチ殺してぇだけなんだからなっ!!!」

電話の向こうで、新一の声が冷静に答えた。

『大丈夫…落ち着いてください…ネズミの正体はわかりましたから…』

世良がハッとして身体をこわばらせる。

一方、勲は謎が解けたと聞き、期待に満ちた表情で「ほ、本当か!?」と携帯電話をのぞき込んだ。

『ええ…』

このまま勲の前で犯人を明かせば、勲はその犯人と共に心中してしまうだろう。それなのに新一は、勲に犯人の名前を告げるつもりなのだろうか？

世良は新一の思惑が理解できず、（ま、まさか…犯人を名指しするつもりか!?）と、焦った。

『まずは、最初にサインをもらいに未紅さんの部屋を訪れたゾウ…』

新一はよどみない口調で、推理を始めた。

『風呂上がりでまだ髪も乾いてなかったのなら、体もまだ火照っていたはず…。そんな状態でサインを書けば…熱や湿気で紙が歪みますよね？　…という事は、最初のゾウは歪んだサイン本を持っていた二瓶さんで決まりでしょう…』

一同の視線が二瓶に集まった。二瓶は突然名前を出され、緊張で身体を固くしている。

『二瓶さんは神経質な程、几帳面な性格…そんな事でもないかぎり、本を粗末に扱って歪ませたりしないでしょうしね…。その二瓶さんが未紅さんの部屋に行った時、彼女のスリッパも揃えたと言ってましたよね？　そのスリッパが濡れてもいないし温かくもなかったという事は…未紅さんは大浴場ではなく、部屋の風呂に入ったのは間違いない…。部屋の風呂ならスリッパを履く必要はありませんから…』

コナンのすぐ隣では、灰原や阿笠博士も推理に耳を傾けている。勳とネズミ、二人の命がかかった緊迫した状況でも、コナンは冷静に理路整然と推理を続けた。

『なのになぜ、光井さんが未紅さんの部屋から出る時に間違えて履いた、未紅さんのスリッパがぐっしょり湿っていて温かく…未紅さんが大浴場に入って来たと、光井さんが勘違いしたかというと…そのスリッパは、風呂上がりにやって来た湯地さんが帰る時に、未紅さんのスリッパを履いて出て行ってしまい…その湯地さんの温かく湿ったスリッパを、光井さんが履いてしまったから…』

そこで一度言葉を切り、コナンは改めて結論づけた。

『つまりゾウは二瓶さん…次にやって来たキツネは湯地さん…そして最後にやって来たネズミが光井さんだったというわけです…』

「なるほど…てめぇなんだな!? 妹を殺したネズミは!?」

「そ、そんな…スリッパだけで決めつけるなんて…」

勲に銃を突きつけられ、光井はうろたえながら反論した。

確かにスリッパの状態だけで犯人を決めるなんてのはいくらなんでも短絡的すぎるように思える。しかし、

『スリッパだけじゃありません…未紅さんが名付けたあだ名には色の法則があったんですよ!』

という新一の声に、勲と光井は「い、色!?」と声をそろえた。

『色の中には動物の名が入った色もありますよね？　ラクダ色とか鳶色とか…』

着々と進んでいく推理を聞きながら、世良はこの場にいない新一に向かって（いいのか？）と語りかけていた。

（それ以上言うと、確実に2人の人間が死ぬ事になるんだぞ？　しかも、君を信じてる彼女の目の前で…）

蘭は新一を信じて勲の命を守ったというのに――本当に新一は犯人の名をこのまま告げてしまうのだろうか？

『きつね色にこんがり焼けるのは、湯地さんが職場で作るパンの色…。ゾウは象牙色…二瓶さんの夫が彫る印鑑の色…。ちなみに未紅さんの兄、勲さんがつけられたあだ名のウグイスはうぐいす色…勲さんがリーダーを務めるサバゲーのチーム名、グリーンキャップから取ったもの…。そしてネズミはもちろんねずみ色…光井さんの実家の石材店が扱う石の色…』

光井の顔に冷や汗が浮かぶ。

コナンは声に力を入れ、ネズミのあだ名を持つ人間を名指しした。

『つまり、未紅さんの部屋に最後にやって来たネズミは光井さん…あなた以外に考えられないんですよ!!』

「ハッハッハッ!!」

ネズミが光井だったことを知り、勲は高らかに笑い声を上げた。

「さすが高校生探偵工藤新一…見事だよ…。俺の妹の未紅を自殺に見せかけて殺しやがった
…薄汚ねェネズミが…光井珠実…お前だった事を解き明かしてくれたんだからな!!」

「ち…違う…」

光井は身体をすくませた。

「わ、私は未紅さんを殺してなんか…」

「しらばっくれんな!! 有名な高校生探偵が、お前が犯人だと言ってんだよ!!」

「で、でも私本当に…」

恐怖におののく光井を、勲は壁際に追い詰めた。

「言い訳なら向こうでたっぷりさせてやるぜ…」

低い声で言うと、銃口を光井の口の中に押し込む。光井は「うぐっ」とえずき、目に涙を浮かべた。

「妹が待ってる…あの世でよォ!!」

なんとか勲を止められないか――世良も蘭も、身構えていた。それを目の端に入れ、勲がすかさずけん制する。

「おっと、忘れんなよ空手の姉ちゃん達…俺の体には爆弾が巻いてあるって事を…。俺はこの女を殺せさえすれば、死んでも構わねぇって事をなァ!!」

『待ってください！』

携帯電話の向こうで、新一がするどく言った。

『確かに僕は、未紅さんがネズミというあだ名を付けたのは光井さんだと言いましたが…光井さんがあなたの妹さんを殺したなんて、一言も言ってませんよ？』

「何ィ!?」

勲は思わず銃を光井の口から抜くと、いきおいよく携帯電話の方を振り返った。

「で、でもさっきお前言ったじゃねーか？　妹の部屋に最後に行ったネズミはこの女だって!!」

『ええ…』

新一は肯定すると、「だったら…」と言いかけた勲を遮って続けた。

『確か、あなたの推測はこうでしたよね？　犯人は薬で眠らせた妹さんの手首を切り、風呂場の湯船につけて自殺に見せかけ…妹さんが死んだのを確認した後、妹さんの携帯電話であなたに「サヨナラ」のメールを送信した…。そのメールを不審に思ったあなたは、妹さんの部屋のドアをノックしたけど返事がなく…止むを得ず隣だったあなたの部屋から、ベランダづたいに妹さんの部屋の窓を割って入り…風呂場で彼女の遺体を発見する事になった…。つまり犯人は、あなたがそうする事をあらかじめ予想して部屋の中に潜み、あなたが妹さんの遺体に気を取られている隙に、あなたが割った窓から外に逃げたんだと…』

勲の推測をまとめると、新一は改めて勲に問いかけた。

『では犯人は、その後どこを通って逃げたんですか？』

「隣の俺の部屋に入って、そのままドアから出たに決まってんだろ⁉　俺は妹の部屋にいたんだから‼　最初に妹の部屋のドアをノックした時、大声出しちまったからよ…。そん時はもう野次馬が結構集まってて…その人混みなら紛れやすかっただろうしな！」

確かに元太たちが近所の人からもらってきた写真にも、浴衣姿の野次馬が大勢集まっている様子が写っていた。

『でもあなたも聞いたと言ってましたよね？　妹さんの部屋から、本を手に持った光井さんが慌てて出て来たのを…妹さんの部屋の3つ隣にいた客がドア口から見ていたと…。つまり光井さんが出て来たのは、あなたの部屋からではなく妹さんの部屋…あなたの推測とは合致しなくなりますけど？』

「み、見間違えたんだよ!!」

勲はわめくように反論した。

「その客の部屋は、妹の部屋から3つも離れてたんだろ!?　きっと俺の部屋から出て来たのを、隣の妹の部屋からだと勘違いして…」

『いや…それはありません…。その証言者の部屋は、妹さんの部屋と同じ側の隣の隣の隣の部屋…。しかも自分の部屋から出ようとしたら、光井さんが慌てて走って来たから…すぐにドアを閉めたと言っています…。その位置から目撃したのなら、角度がなく見た時間もわずか…。どの部屋から出て来たかなんて元々判別しようがないんですよ…』

新一は一呼吸おいてから、おもむろに付け加えた。

『妹さんの部屋のドアが開いていて…ドアに付いたルーム番号が見えないかぎりはね!!』

勲がはっと息をのむ。

あの温泉旅館の客室には、ドアにルーム番号の書かれたプレートが取り付けられているのだ。そのことは元太たちが近所の人からもらってきた写真ですでに確認済みだ。

『光井さんが慌てていたのは、逸早くトイレに行きたかったから…その時、部屋のドアが開いていたという事は…まだ妹さんは生きて中にいたんですよ…。その旅館の部屋はオートロックじゃない…妹さんが部屋の内側から鍵をかけていなかったのなら…あなたがわざわざ窓を割って部屋に入る必要はありませんから…』

未紅は内側からドアに鍵をかけており、現場は完全な密室だった。警察が自殺と判断したのもそれが理由だ。

『もっとも…あなたが大声で妹さんの部屋のドアを叩いて、野次馬が集まっていた状況で…あなたの部屋から慌てて出て来て走り去った不審人物がいたのなら…他にもそれを見た客はいたはずでしょうしね…』

「じゃあ誰なんだよ、妹を殺った犯人は⁉」

勲はじれったそうにまくし立てた。

「妹の呟きによるといるはずだよなァ⁉　妹が眠くなるまで部屋に居座ってた殺人犯がよ‼」

『あなた…妹さんのデビュー作…お読みになりましたか？』

思いがけないことを聞かれ、勲は勢いを失って「い、いや…」と弱々しく答えた。

「俺は本が苦手でよ…読んだ事はねーけど…」

コナンは淡々と本の内容を語り始めた。

『タイトルは「死神の葬列」…主人公の刑事が、追っても追ってもその影すらつかめない連続殺人鬼…。ある日刑事は枕元に立つ死神と出会い…「お前には一生捕まえる事はできない」と、告げられてしまう…。それもそのはず…その刑事こそが夜な夜な無意識の内に街を徘徊し、殺人を繰り返していた殺人鬼の正体…』

刑事が追い求めていた連続殺人鬼の正体とは、実は刑事自身だったという内容……。

『その事実に気づいてしまった刑事は、罪の意識に苛まれ…死神に誘われるまま自らの命を絶つ事になる…』

ここまで聞いて、勲は顔色を失った。

「お、おい…まさか…」

『そう…妹さんがサインを書く為に、久し振りに手に取った『死神の葬列』…。自分が生み出したその主人公に自分を重ね合わせ…自分の部屋に居座り続ける死神の幻覚を見ていたのなら…その後、妹さんが取った行動は想像できますよね？』

「い、妹が…自殺？」

勲の瞳が焦点を失った。

「そ、そんな…バカな!?」

涙を浮かべ、頭を抱える。力の抜けた左手から、爆弾のスイッチがポロッとこぼれ落ちた
――その瞬間、世良と蘭が同時に反応した。

バシュ!

蘭がいきおいよく足を振り上げて、勲の右手から銃を弾き飛ばす。その隙をついて、世良が背後からガッと勲の肩を固め、そのまま地面に倒れ込んで関節技を決めた。

「突入!!」

地面に倒れ込みながら、世良がドアに向かって叫ぶ。ドアの向こうで待機していた特殊部隊の隊員たちは何が起きているのかわからず、みな一様に「え?」と驚いている。

「突入しろォ!!!」

世良がさらに大声を出し、隊員たちはダン! とドアを開けて事務所内へと突入した。全身を防弾装備で固め、楯や銃を構えた男たちが一斉になだれ込んでくる。すでに世良によって身動きが取れない状態にされていた勲は、なすすべなく取り押さえられた。

勲は無事に警察に引き渡され——ようやく、毛利探偵事務所に平穏が戻ってきた。

「でも、マジビビったよ工藤君…」

世良はようやくリラックスして、電話の向こうの新一に向かって話しかけた。

「君が本気で犯人を名指しして、あの爆弾男に殺させる気なんじゃないかって…。まぁ、自殺だとわかっていたなら納得だけど…」

世良は肩の力を抜くと、ふっと微笑した。

「沢栗未紅のデビュー作を読んでいなかったボクには無理だったかな…」

『悪いがオレも「死神の葬列」は読んでねーよ…』

「え？」

『あれはあの場を凌ぐ為のハッタリさ…あの爆弾男に妹は自殺したんだと信じ込ませる為のね…。でなきゃ直前までのん気に呟いてた人が、死神の幻覚を見て突然自殺したなんて非論理的な推理、口が裂けても言わねぇよ…』

死神の葬列のあらすじは、新一の作り話だった——ということは、未紅は自殺ではなかったのだろうか。

「おい…じゃあまさか…」

小五郎が声を震わせる。『ええ…』と新一は冷静にうなずいた。

『ここからが本題…ちゃんと存在しますよ…沢栗未紅さんを自殺にみせかけて殺した死神は…その3人の中にね!!』

事件は、まだ解決していなかった。

未紅はやはり自殺ではなく、三人の中の誰かに殺されたのだ。世良は電話口の新一に詰め寄った。

「ま、まさか…未紅さんが付けたあの3人のあだ名が間違っていたっていうのか!?」

『いや…それはさっき僕が言った通り…。ネズミは光井さんで…キツネは湯地さん…ゾウは二瓶さんで決まりだよ…』

「じゃあ、あの3人が未紅さんの部屋に来た順番が違っていたとか？」

今度は蘭が聞く。

『いや、それも二瓶さん、湯地さん、光井さんの順で合ってるよ…未紅さんがそう呟いてるんだから…』

「…となると、一番最後に来たのは光井さんだから…やっぱり犯人は光井さん…」

再び犯人にされ光井は顔面蒼白になってしまった。しかし先ほどの新一の推理によれば、光井が部屋を出た時、未紅はまだ生きていたはずだ。

「そうか！　いったん部屋を出た後でまた戻って来て犯行を…」

小五郎がハッと思い付いて言うが、新一は『いや、それはないでしょう…』と即座に否定した。

『光井さんは、未紅さんの部屋から慌てて出て来た所を見られています…。そんな不審な行動を取ったにもかかわらず…再びそこに舞い戻り、殺人を犯すなんてまず考えられません…。特に…密室を作り、自殺に見せ掛けて殺した計画的犯罪者ならなおさらね…』

「じゃあ、一体誰なんだよ犯人は⁉」

小五郎が苛立って言う。

『蘭！　悪いけどもう一度読んでみてくれねーか？　殺される直前の未紅さんの呟きを…』

「う、うん…」

新一に言われ、蘭は机の上に残されていたSNSのプリントを手に取った。

「『最初にサインをねだりに来たのはゾウ…風呂上がりでまだ髪が乾いてないのにせっかち

なゾウね…』『次に来たのはキツネ…また言い掛かりをつけて来た…うざいうざい…サイン書いたんだから早く帰ってよ…』『最後に来たのはKYのネズミ…速攻でサイン書いてとっと追っ払っちゃお…』『うっざー、まだ居座ってるよ…ヤバ…眠くなって来た…どうしよう…』」

蘭が未紅のつぶやきの内容を読み上げると、新一はまた推理を続けた。

『では光井さんにお聞きします…。あなたが未紅さんの部屋に行った時、彼女はトイレを貸してくれなかったんですよね？』

「え、ええ…」

光井がうなずくと、世良はすぐにピンときて「ま、まさか…」と言葉を失った。

『そう、彼女の部屋に居座っていたのはネズミではなく…2番目に来たキツネである…湯地志信さん…あなただったんですよ!!』

湯地がギクリと身体をすくめた。二瓶と光井が、信じられないという表情で湯地を見やる。

訳がわからず、蘭は世良に「ど、どういう事？」と聞いた。

「ホラ、未紅さんが呟いてただろ？　キツネが言い掛かりをつけて来て、なかなか帰ってくれないって…。その言い掛かりをつけられてた最中に、光井さんがやって来てしまったから…ひとまず湯地さんをトイレに隠して、光井さんをやり過ごそうとしたんだよ‼」

光井が部屋を訪れた時、トイレの中には湯地が隠れていた。だから未紅はトイレを貸してくれなかったのだ。

「もちろん湯地さんにスリッパを持たせて…2人分あると誰かが来てる事がバレるから…。でもその時、湯地さんは風呂上がりで湿っていた自分のスリッパではなく、未紅さんのスリッパを取ってしまい…残った湯地さんのそのスリッパを、今度は光井さんが履いて違和感を感じてしまった…そういう事だろ、工藤君？」

『ああ…後はさっきの爆弾男の勲さんが言ってた通り…未紅さんを風呂場で自殺に見せ掛けて殺した後…携帯のメールで、勲さんが窓ガラスを割って入って来るように仕向け…その割れた窓から、ベランダづたいに勲さんの部屋へ行き…その部屋のドアからこっそり外に出て…集まってた野次馬に紛れ込んだってわけさ…』

「だ、だがなぁ…」

小五郎が不可解そうに反論した。

「最初に来た二瓶さんがトイレにずっと隠れていたって場合も考えられるんじゃねーか？」

『未紅さんの呟きを見れば居座っていたのは十中八九2番目に来た湯地さんですし…二瓶さ

んは他人のスリッパを直すような神経質で几帳面な性格…自分のと他人のスリッパを間違えて取るのはまず考えにくい…。それに犯人が湯地さんだという証拠もありますしね…」

湯地と小五郎が、同時に「え？」とつぶやいた。

『未紅さんが必死に風呂場から抜け出し、血まみれの手でつかんだバスマットの写真…。手前の2つは手形がベットリ残ってるのに、その先にある血の跡は指先しか付着してなかった…あれは何かをつかんだ証拠…。そこで注目されるのが、湯地さんが持っていた未紅さんのサイン本…』

三人の本にはそれぞれ異なる特徴があった。二瓶の本はサインのあるページが濡れて乾いた後のように波打ち、光井の本はページの上部が破れ、そして湯地の本は本が綴じられていない方のページの端がなめらかにそろっていた。

『本はその印刷方法によって本を開く側、つまり小口がきれいに揃う場合と揃わずギザギザになる場合がありますが…同じ初版本でその方法を変える事はない…。なのになぜか、湯地さんのサイン本だけ小口がきれいに揃っていたのは…湯地さんが小口を紙ヤスリで削ったから…。今際の際に、未紅さんにつかまれた血の手形を…隠滅する為にね!!』

湯地が言葉を失う。

小五郎は湯地の持って来た本を調べた。ぱっと見ただけではわからないが、本全体をたわませてみると中の方に血がついているページがあることがわかる。

『それが動かぬ証拠…もう1冊買って新しいカバーと取り替え、表面上は血を隠せているようですが…つかまれた時に本が歪んで、ページの中にまで付着した血の跡は隠せませんから…』

「でも何でバスマットの上なんかにサイン本を…」

小五郎が怪訝そうにボヤくと、湯地は「……」と短く沈黙してからあきらめたように自白し始めた。

「眠らせた彼女を風呂場に運んでいる途中でね…浴衣の懐からポロリ…。その後、彼女に血を付けられたけど気にもしてなかったわ…あんな本、捨てるつもりだったし…。でも、捨てられなかった…あの本には私が書いた中で一番有名な話が載っていたから…」

「ま、まさか盗作？」

小五郎が驚いて聞き返すと、湯地は小さく肩をすくめた。

「まぁ、彼女と一緒に書いたから合作かな？　彼女に頼まれたのよ…『本を出してみないかって話が来てるんだけど手伝ってくれない？』ってね…。そしてそのデビュー作がヒットして、彼女はあれよあれよという内に直本賞作家…別に妬んだりはしなかったわ…手伝ったのはあの1作だけだし、賞を取ったのも彼女の実力…友人として誇らしかったわよ…。よーし私も、って思い持ち込んだ出版社であんな事を言われるまではね…」

対応に出てきた編集者は、湯地の原稿を読んでこう言い放ったそうだ。

——確かに面白いけど、沢栗未紅の作風とそっくり過ぎるよ…沢栗未紅は1人で十分！

なんなら彼女のゴーストライターやってみる？

「私、気づいてなかったのよ…彼女がデビュー以来、私の文体を模倣して自分の作風にしてるって事に…もちろん彼女に言ったわ…『せめてデビュー作は私との合作だったと公表して』ってね…。でも彼女は『直本賞作家に泥を塗る気？』って受けつけてくれなかった…。このままじゃ私は存在のないゴーストになってしまう…だから彼女の方をゴーストにしてやったってわけ…」

湯地は力なく言うと、ふっと視線を落とした。

「だけどやっぱりあの本は捨てるべきだった…。これから先、『死神の葬列』を読もうとしても…彼女と徹夜してアイディアを出し合い、一生懸命書き上げたあの思い出が込み上げて来て読めやしない…。1ページもめくれない本なんて…持っててもしょうがないから…」

後日。

コナンは蘭と園子、そして世良と一緒に近所の通学路を歩いていた。世良の制服姿を見るのが初めてなので、(スカート穿いてる…)とつい不思議な気持ちになってしまう。

蘭たちから毛利探偵事務所で起こった事件の顛末を聞かされ、園子は「え〜〜〜!?」と声を裏返した。

「新一君、何も言わずに行っちゃったのォ〜〜〜!? またしゃしゃり出て来て、今度は蘭の前で推理したのにィ!?」

新一が蘭とロクに言葉を交わさないまま行方をくらましてしまったことが、園子にはたいそう不満らしい。

「う、うん…警察の人が湯地さんっていう犯人の人を、連行しに来た後で電話取ったらもう切れててさ…。でも次の日、新一からメール来てたよ! 『ありがとな』って…」

メールがよほど嬉しかったのか、蘭は顔をほころばせた。

「あの日は新一、自宅に何かの資料を取りに帰ってて、偶然博士ん家に寄ってたんだってさ！」

「だったら女房に顔ぐらい見せろって…」

園子がぶすっとして突っ込むと、世良が天を仰ぎながら言った。

「もしかしたら、顔を見せられない理由があったのかもね…」

「え？」

蘭が不思議そうに視線を向ける。

「まぁ、今回の事でよーくわかったよ…コナン君が工藤君と大の仲良しだって事と…」

そう言うと世良は、ぐっと蘭の方に顔を近づけた。

「君は思ったより手強いって事がね！」

手強い、とはどういうことだろう？

蘭は「へ？」と戸惑った表情を浮かべ、コナンは妙に嫌な予感を覚えつつも、（空手の事か？）と考えていた。

DETECTIVE CONAN

MASUMI SERA SELECTION

10年前…。

とある事件が起きた。通報を受け大勢の鑑識と共に現場へとやってきたのは、当時まだ警部補だった目暮十三。そして目暮の要請を受け、一人の若い推理作家も現場へとやってきた。

その推理作家は類まれな推理力を駆使して、これまでに何度も日本警察に協力しては、数々の難事件を解決へと導いてきたのだ。しかし——この事件だけは今までと少し勝手が違った。犯人も明らかにならないうちから、推理作家は事件を降りると言い出したのだ。

「ええっ!? 降りるって…この事件から手を引くというのかね?」

目暮警部補が驚いて呼びかけると、推理作家は「ええ、まぁ…」と返事をしながら現場を立ち去ろうとした。

「そんな小説家に頼らず、我々警察だけで犯人を挙げましょう目暮警部補!」

目暮警部補に声をかけたのは、若き日の毛利小五郎だった。小五郎は探偵になる前、目暮警部のいる警視庁捜査一課で刑事をしていたのだ。

「なにしろマスコミが騒ぎまくってますからねぇ! 遺体の血で書かれたこの『死』って文字が…連続猟奇殺人の始まりじゃないかってね!!」

小五郎が遺体をのぞき込んで言う。被害者は眼鏡をかけた小太りの男だ。身体の下には大きな血溜まりが出来ており、顔の横の地面には確かに『死』という文字が血で書かれている。

「大丈夫…これは殺人ではありませんから…」

推理作家が言うと、小五郎は怪訝そうな顔になった。

「で？　でも…この死の文字は…？」

推理作家は小五郎の方を振り返ると、ゆっくりと言った。

「保証しますよ…この工藤優作が…」

類まれな推理力を持った推理作家とは――工藤新一の父、工藤優作のことだったのだ。


ある日の高校からの帰り道。

蘭と園子、世良はいつもの通学路を歩いていた。話題は新一の父のことだ。蘭から新一の父が工藤優作だと聞いた世良は、「へぇ～～～～」と感心した声を上げた。

「工藤新一君の父親って、あの有名な推理作家の工藤優作なのかー！」

「うん！　今は日本を離れて海外で執筆されてるみたいだけど…」

蘭が答えると、世良は嬉しそうに顔をほころばせた。

「子供の頃よく読んだよ！　闇の男爵シリーズとか!!」

「まぁ、そのお陰であの推理オタクな息子が出来上がっちゃったんだけどね！」

そう言うと、園子はからかうような視線を蘭に向けて続けた。

「でも安心ね！　旦那の親がベストセラー作家なら結婚後も食いっ逸れなさそーで♡」

「け、結婚って…」

ひやかされ、蘭は顔を真っ赤にしてしまった。

「それよりさっきの話本当か？　その工藤優作が唯一サジを投げた…奇妙な事件を知ってるって…」

世良に聞かれ、蘭は「ええ…」とうなずいた。

「新一のお父さんがまだ日本にいた頃、事件の捜査協力をされてたんだけど…その事件だけ途中で放り出したって新一すっごく怒っててさ…」

蘭の脳裏に、当時のぶすっとした新一の表情がよみがえる。

「どんな事件だったんだ？」

「確か遺体のそばに血で何かの文字が書かれていて…」

その時、「おい、大丈夫か!?」と誰かが路地裏で必死に声をかけているのが聞こえてきた。

見れば長髪に無精ひげの男が、自動販売機に寄りかかって座り込んでいる。男には意識がないようで口からは血を流していた。

「しっかりしろ高市!?」

「高市さん!?」

知り合いらしき男性二人が必死に呼びかけるが、反応はない。蘭たちは慌てて駆け寄った。

「ど、どうかしたんですか!?」

「コイツが仕事場に来ねぇから捜してたら、こんな所でうずくまってて…」

「口から血が垂れてるし…」

「一応救急車は呼んだんだけど…」

世良は座り込んだ男の脈を取ると、「救急車は必要ないよ!」とするどく言った。

「死んでからもう9時間以上たってるみたいだからさ…」

「ええっ!?」

その場にいた全員が、度肝を抜かれて叫んだ。

世良は遺体のまぶたを持ち上げて眼球を調べたり、遺体の身体全体を観察したりしながら、

「この人、もしかしてアルコール依存症か?」と聞いた。

「あ、ああ…医者には酒を止められてるって言ってたけど…」

「でも何でそれを!?」

「白目に黄疸が出てるし…痩せてるのに腹がポッコリ出てる…。これは腹水！　肝臓が悪い証拠だよ！」

　言いながら、世良は遺体が寄りかかっている自販機の方をのぞき込んだ。

「さらに自販機の商品取り出し口に手つかずの酒が入ったままになってる…状況からみて、この人が死ぬ直前に買おうとした酒の可能性が高い！　肝臓を患ってる患者なら大概、病状を悪化させるアルコールは避ける…。にもかかわらず酒を欲していたのなら…アルコール依存症かもって思っただけさ！」

　遺体を少し調べただけで、状況をここまで的確に言い当ててしまうとは——。

　園子は世良の洞察力に感嘆して「すご…」とため息を漏らした。

「…とまぁ、普通ならアル中のおじさんが肝硬変による静脈瘤破裂で吐血し…その時、周囲に誰もいなかったから亡くなったように見えるけど…。でもこれは病死じゃない…。悪意を持った誰かの犯行さ！　その証拠にこのおじさんの真ん前に…ホラ！」

　世良は確信して、遺体の手前に残った血痕に視線を向けた。そこには、『死』の文字が血で書き残されている。

「ちょ…ちょっと待って…」

少し癖のある筆跡を見て、蘭が慌てて言った。

「この『死』って文字！　10年前の現場にあった文字とそっくりだよ!!」

「そ、それってまさか…」

「さっき言ってた新一君のお父さんがあきらめたっていう…」

世良と園子が蘭の方へ顔を向ける。蘭は「うん！」とうなずいた。

「あの時、新一に現場の写真見せてもらったから間違いないよ!!」

十年前の殺人現場に残されていた文字が、なぜ今になって再び現れたのだろうか——。


その頃、帝丹小学校では——。

キーンコーンカーンコーン！

チャイムの音が鳴り響き、コナンはクラスメイトたちと共に教室の清掃をしていた。机を運んでいると、ポケットに入れた携帯電話がブーブーと着信した。

（ん？　新一用の携帯にメール…蘭からか…）

コナンは蘭からのメールを読み上げた。

「『今日、登校中に殺人現場に遭遇したんだけど…なんと現場に残されてた血の文字が、10年前に新一が見せてくれたあの文字とそっくりだったよ！　世良さんや園子もその写真を見たいって言うから…学校が終わったら新一の家で探そうって事になったんだけどいいよね？　大体の場所はわかるから』…」

（10年前の血の文字って…父さんが途中でバックレたあの事件か？）

当時残されていた血文字の筆跡を思い出していたコナンだが、メールの後半にはより重大な事が書かれていることに気がついて、口をあんぐりと開けた。

（――ってちょっと待て…『探そうって事になった』って…まさか世良や園子もオレん家に!?）

世良や園子が来るのは、とてもマズイ。

今、新一の家にはとある人物が住んでいるのだから――。

歩美、光彦、元太は、真面目に教室の掃除に取り組んでいた。

「あれ？　コナン君は？」

歩美がふと気が付いて視線を巡らせると、光彦も、

「そーいえばいませんねぇ…」

と、顔をしかめた。

「サボリかよ？」

元太も不服そうだ。

「急用が出来たから先に帰るって言ってたわ…この埋め合わせはいつかするって…」

ホウキで床を掃きながら灰原が伝えるが、歩美や元太には「埋め合わせ」という言葉は難しすぎたらしい。歩美は「ウメアワセ？」と不思議そうに聞き返し、元太も、

「ツメアワセならうな重がいいぞ！」

などと見当違いなことを言っている。

光彦は引きつった表情で「うな重の詰め合わせって…」とあきれてしまった。

蘭は園子と世良と共に、すでに新一の家へと向かっていた。

「あ！　新一から返信来た…」

携帯に着信があり、蘭は嬉しそうにメールを読み上げた。

「『勝手に家ん中をほじくり返されるのも何だし…コナン君にその写真の場所を教えて取りに行かせたから…それを探偵事務所に持って行かせるって事で勘弁しろよな』…じゃあその場所、わたしに教えなさいよ…」

ブスッとした顔で蘭がつぶやくと、園子がすかさず「その写真の近くにHな本でも隠してあるんじゃないのー？」と茶化す。

そんなことを言い合っている間に、三人は新一の家に到着してしまった。

「でもさー、着いちゃったよ！　ここだろ？　工藤新一君の家…どーせなら入ってみようぜ？」

世良が門扉を押す。

蘭と園子は「あ…」とためらうが、世良は大胆に笑ってウィンクした。

「この家に住んでるっていう…昴って人にも会ってみたいしな！」

新一の家は庭付きの巨大な洋館だ。

大きな玄関の扉を、世良は「おじゃましまーす！」と元気よく開けた。タイル貼りの三和土には、子供サイズのスニーカーが一足、きちんと並べて置かれている。

「あ！　コナン君の靴…」

蘭が気づくと、世良は「もう来てるのか！」と嬉しそうに声を弾ませた。

「素早いわね、あのガキンチョ…」

園子はあきれているようだ。

家の中にはコナンだけでなく沖矢昴もいるはずだが、部屋数が多いので二人がどこにいるのかわからない。蘭たちはスリッパを拝借してあがると、二人を探して長い廊下を進んだ。

「でも昴さんって前から気になってた事があるんだよね——…」

園子が腕組みしながら言うと、蘭が「え？　何？　何？」と興味津々で聞いた。

「だってホラ、あの人いつも首元を隠してるじゃない！　だから首に恥ずかしい刺青とか入れてて、隠しているんじゃないかってね！」

「そーいわれればそうねぇ…」

蘭はつぶやきながら、沖矢の普段の様子を思い出した。確かに沖矢は、いつもタートルネックのセーターや喉ぼとけの上まで隠れるデザインのシャツを着ていて、首元をあらわにしたところを見たことがない。

「だからさ、いつかスキ見てパーッと上着をひんむいちゃいたいんだけど…どお？」

蘭は腕組みして、じとっと園子の方をにらんだ。

「それって単に園子が昴さんの裸を見たいんじゃないの？」

「まぁ、それもあるけど…」

園子が、ニヤリと歯を見せて笑う。

その時、通り過ぎかけた部屋の中で、ガタッと物音がした。誰かがいるらしい。

「ここにいたかコナン君！」

世良がいきおいよくドアを開けると、そこはバスルームだった。

洗面台の前に立った沖矢が、右手で歯ブラシを持って歯を磨いている。タートルネックの上着を着ているが、チャックが胸元まで開いていた。

沖矢の顔を見るなり、世良の表情が呆けたようになった。ぽかんとして、沖矢の姿をじっと見つめたまま立ち尽くしてしまう。

「あの――、コナン君が来てると思うんですけど…」

横から蘭が声をかけると、沖矢は口に歯ブラシをくわえたまま「ん！　ん！」と廊下の奥の方を指さした。歯磨き中で、喋れないということらしい。

「あ、もしかして書斎の方に？」

蘭が察して言うと、沖矢はコクッとうなずいた。

「じゃあそっちに行ってみます！」

沖矢が首を隠す服ばかり着ているのが気になっていた園子だが、疑惑は意外にもあっさりと晴れてしまった。今日の沖矢は首元をあらわにしていたが、変わった点は特にない。

（首元に刺青はなかったか…）

がっかりする園子を連れて蘭は廊下に出た。そのまま沖矢が指さした方に歩いて行こうとするが、世良がバスルームの前から動こうとしない。ドアに手をかけたまま、歯を磨く沖矢の姿を見つめている。

「………」

「世良さん行くよ！」

蘭が声をかけると、世良は「うん…わかった…」と答えながら、ようやくパタンとドアを閉めた。沖矢のことがよほど気にかかる様子だ。

ドアが閉まりバスルームに誰もいなくなると、沖矢は左手の袖の中からスッとクシを取り出した。

沖矢の言う通り、コナンは奥の書斎にいた。壁一面をぎっしりと覆いつくした本棚の中から、十年前の例の事件の資料を探している。

「ちょっとコナン君？　探すの手伝おっか？」

蘭が心配して声をかけるが、コナンは「大丈夫！」と明るく答えた。

「もう見つかりそうだから…キッチンで紅茶でも飲んでれば？　持ってくからさ！」

「そ、そーお？」

蘭は遠慮気味にうなずくと、「じゃあ待ってるね！」と書斎を出ていった。

（──ったく…来るなってメールに書いたのに…）

沖矢を世良や園子と会わせたくなかったコナンは、小さくため息をついた。

蘭たちはキッチンに移動して、紅茶を飲みながらコナンが来るのを待った。

「やっぱ隠してるんじゃないかなぁ…エロ本…」

園子はまだ新一のことを疑っているようだ。

蘭は「まさかぁ…」と取り合おうとしないが、園子の目は本気だった。

「だって毎月勝手に蘭に掃除させてたのに、その写真だけ探させないって怪しくない？」

「いや…隠してるのは…女の存在かもね…」

世良がキッチンの上の棚を調べながら何気なく言う。

蘭は、「お、女!?」と目を丸くした。

「見ろよ！　髪留めのゴム…女ってついついこういう棚の上に置いちゃうんだよな…」

「あ、きっとそれ、新一のお母さんのだよ！　よくまとめてたし…」

棚の上にあったヘアゴムを見せられて、蘭が苦笑いする。

「でも洗う前の食器の中に…口紅を親指で拭ったグラスも…混ざってるけど？」

そう言って見せられたグラスには、確かに口紅の跡がかすれて残っていた。これには蘭も園子も「ええっ!?」と驚きを隠せない。ヘアゴムならまだしも、口紅のついた食器が残っていたとなれば、女性がこの家に出入りしたのはつい最近ということになる。

さらに世良はシンクの底から新たな証拠を発見した。

「そして洗い場の排水口には長い髪の毛…カツラの毛みたいだけど…」

「ま、まさか新一君、女を連れ込んで浮気を⁉」

園子が怒りの形相で立ち上がり、バンッと机を叩く。

世良はカツラの毛をつまみ上げたまま、キリッと蘭の方を見た。

「そう思うんならこれを写真に撮って保存し、日記に付けとくといいよ！　この証拠品をいつどこで見つけてその時どう感じたかを書き留めておくと裁判になった時、役立つからさ！」

「さ、裁判⁉」

「カメラは写真が加工できるデジカメよりもインスタントカメラ！　日記は修正できないボールペンとかを使ってその日のニュースや天気なんかも書いておくと信憑性も上がるよ！」

世良のアドバイスを受け、蘭は（て、天気やニュース…）と携帯電話にメモを取った。

「そ、それであの口八丁な推理野郎をやり込められるんですか先生⁉」

園子が鬼気迫る表情で世良に迫る。

世良は軽く両手を上げて「――っていうか…」と肩をすくめた。

「工藤君はしばらくこの家を空けてるんだろ？　普通に考えたらさっきの昴って男が連れ込

んだ女なんじゃないのか？」

言われてみればその通りだ。蘭は、「そ、そだね…」と納得した。

「写真持って来たけど…何の話？」

何も知らないコナンが、ようやく探し当てたらしい資料を持ってキッチンへと入ってきた。

「い、いいの、コナン君は知らなくて！」

蘭は慌ててごまかし、園子も「大人の話だから♡」とニヤついて言った。

「？」

コナンは訳がわからず、戸惑ってしまった。


蘭たちは改めてコナンが探してきた十年前の写真と、今日遭遇した現場の写真とを見比べた。

「ホント…そっくりだな！　この『死』っていう血文字…」

世良が言うように、二枚の写真に残された文字はとてもよく似ている。どう見ても同じ人物が書いたとしか思えなかった。

「じゃあまさか…10年前の殺人犯がまた現れたって事⁉」

蘭が声を震わせ、園子も「連続殺人じゃない‼」と叫んだ。

世良が「ああ…」と冷静に同調する。

「ネットで調べたら10年前の『死』の血文字の写真は公表されてないから…同一犯の犯行と見てまず間違いないと思うよ！」

（確かにそっくりだけど…）

コナンは二枚の写真を見比べながら、十年前のことを思い出そうとしていた。あの時、実は新一も優作に連れられて事件現場へと行っていたのだ。当時新一はまだ七歳だった。

（10年前のあの時…父さんは…）

優作は目暮警部補や刑事だった小五郎に向かって、なんと言っていたのか。

――保証しますよ…この工藤優作が…。

――この「死」の文字を書き残す殺人犯は…金輪際出現しないという事をね…。

優作の言葉を思い出し、コナンはショックを受けていた。

（どうなってんだ⁉　二度と現れないんじゃなかったのかよ⁉　父さん⁉）

優作の推理は、間違っていたのだろうか――？

この「死」の文字を書き残す殺人犯は、金輪際出現しない。

優作が確かにそう言っていたとコナンから聞かされ、世良は「ええっ!?」と大声を上げた。

「本当に!? 本当にあの工藤優作がそう言ってたのか!?」

「うん!」

コナンはキッチンカウンターの上の写真を手に取ると、改めて世良に見せた。

「死体のそばにこの『死』って字を書く犯人は…もう二度と現れないって…新一兄ちゃんが10年前に父さんからそう聞いたって言ってたよ!」

世良が「…………」と考え込む。

「わ、わたしもその写真を見せられた時…新一がそう言ってたの覚えてる!!」

蘭が手をぎゅっと握りしめて言った。

「しかもそのおじさんの手の平や指に血は付いてたんだけど、指先には血は付いてなかったから…死んだおじさんが自分で書いた字じゃないのに何で殺人じゃないんだって新一、不満タラタラで…」

「確かにそうだよな…」

世良は改めて、十年前の事件現場の写真を眺めた。

「殺人じゃないとしても…遺体の血が乾く前に、そばに誰かがいたって事は間違いないのに…それに、僕達はこれにそっくりの血文字が書き残された現場に…今朝、遭遇してしまったしね！」

「でも確か、10年前のその事件、事故死とかじゃなかったっけ？」

園子が聞くと、蘭は「うん、そうだった！」とうなずいた。

「詳しい事は写真と一緒に入ってたこの紙に書いてあるみたいだよ！」

コナンから封筒を手渡され、世良は中に入っていた資料を取り出して読み上げた。

「えーっと…死因は胸部に刺さった金魚鉢の破片…。心臓を貫いていてほぼ即死だったと思われる…。亡くなったのは保育園の園長の郡山武文さんで…保育園の水槽掃除の為に、一旦金魚を金魚鉢に移す予定だったが…その金魚鉢を園長は自宅に忘れて取りに戻り、保育園に持って行く途中で近道である公園を通った際に…運悪く石畳の段差につまずき、金魚鉢を抱えたまま転倒して亡くなったようだ…」

資料には被害者である郡山の写真も載っていた。ふくよかでニコニコとした人の良さそうな男性だ。

「遺体の第一発見者は…その保育園の園児である…西村亮佑君5歳で…近くのお寺の住職の1人息子…」

亮佑の写真は、事件直後に撮られたものらしい。園服を着た少年が、沈んだ表情で写っている。手には「トロピカルドロップ」と書かれた四角いお菓子の缶が握られていた。パッケージの絵から察するに、ドーナツ型をしたアメのようだ。

「『園長が戻って来ない』と他の保育士達が騒いでいた時…この少年から『来る途中で園長先生が倒れているのを見た』と聞き、公園に駆け付け遺体を発見したとの事…。少年は当初、おどおどして無口だったが…少年が持っていたお菓子を食べ始めるとようやく口を開いてくれた…。他の園児と一緒に、公園でこっそり仔犬を飼ってる事や…保育園に行く途中で犬の様子を見に行った事…そして、倒れている園長が返事をしなかった為、亡くなっていると思い公園の花を摘んでお供えした事を…」

世良が資料を読むのを聞き、蘭は現場写真を確認して「ホントだ！」と声を上げた。

「写真に花が写ってる…死の文字の上の方に！　でもお供えしたっていうより散らばってるよね？」

見切れるぎりぎりの位置にあるので見づらいが、確かに花は地面の上に散乱しているようだ。園子も写真をのぞき込み、「きっと、この文字を書いた犯人が蹴散らしたのよ！」と顔をしかめた。

資料には、亮佑たちが公園で飼っていたという犬の写真もあった。茶色い毛並みの雑種で、近くにある餌皿の上には亮佑の持っていたのと同じドロップらしきものがいくつかのっている。

「でもそのおじさんが誰かに殺されたとしたら…金魚鉢を抱える園長を後ろから押して致命傷を負わし…流れる園長の血でこの文字を書き残したんだろーけど…この少年は『花を供えた時こんな血文字はなかった』って言ってたらしいよ…」

世良が資料を見ながら言い、蘭は「ええ!?」と困惑の表情を見せた。世良は冷静に推測を続ける。

「…となると犯人は、園長を倒して殺した直後、少年が来たのに逃げもせずいったん隠れ…少年が立ち去るのをしばらく待ってから再び死体に近寄り、血文字を残したって事になるけど…」

「も、もしかしたらその少年なんじゃない？　その血文字を書いたのって!!　きっと花を供えた時に書いたのよ!! ホラ、お寺の子だから死者を弔うみたいな…」

園子が言うが、蘭は「でも、5歳の子だよ？」と反論した。

「『死』なんて漢字書けないんじゃない？」

確かにその通りだが――園子はコナンの方を見ながら（大して年が違わないこやつは書けそうだけど…）と顔をしかめた。コナンが蘭を見上げながら聞く。

「ねぇ、蘭姉ちゃん達が今朝見たっていう死んだおじさんはどうだったの？ 10年前のこの事件と何か同じ所があれば、犯人を捕まえるヒントになるんじゃない？」

「同じ所って言っても…あの血文字以外は何も…。遺体のそばに落ちてたのは花じゃなくタバコだったし…」

蘭が言うのを聞いて、コナンは「そっか！」と納得した。

「あの写真に写ってたのって、たばこだったの？」

「うん…血まみれだったけど…」

蘭たちが撮影した血文字の写真には、何か細長いものが写っていた。しかし血で汚れていたので、見ただけではそれがたばこだとはわからなかったのだ。

世良が、今日遺体を見つけた時の状況を詳しく説明する。

「そのおじさんの死亡推定時刻は多分昨夜の夜11時頃…遺体は酒の自販機に寄りかかってて、それの商品取り出し口に新しい酒が入ったままになってたから…あのおじさんは酒を買った直後に何かが起きて死に、夜が明けるまで放置されたんだと思うよ…。自販機での酒の販売は夜11時までだしな！」

「でもそのおじさんのそばにあった『死』って字も血で書いてあったんだよね？　そのおじさんも何かで刺されたりしてたの？」

「血が出てたのは口から！　そのおじさん、アルコール依存症だったらしいから、最初は静脈瘤が破裂して吐血したと思ったよ…」

そう言うと、世良はフッと微笑して言い添えた。

「遺体の逆側から書かれた…あの血文字を見つけるまではね!!」

その時、低い男の声で、誰かが世良たちの推理に口を挟んだ。

「つまり…この2つの事件の共通点は…書体が酷似している『死』の血文字と…一見、殺人には見えない2つの遺体のみというわけですね…」

沖矢だ。さっきはタートルネックのチャックを鎖骨のあたりまで下げていたが、今は一番上まできっちり上げて首元を隠している。沖矢はキッチンカウンターの上にあった資料を手に持ったまま続けた。

「それと、封筒に入っていた新聞の切り抜きによると、『公園に駆けつけた保育士が死の文字に気づいたのは、遺体を起こそうとして動かした後』と書かれていますから…恐らく、これは遺体が少々動かされた後の写真で…この遺体をその少年が見つけた時、血文字は既に書かれていて体に隠れて見えなかったのかもしれませんね…」

現れてすぐに冷静な洞察力を見せる沖矢を、世良は「……」と沈黙しながら見つめた。沖矢を怪しむような表情だ。世良の視線を受け、沖矢が「あ、すみません…でしゃばってしまって…」とにこやかに謝った。

「昴さんはホームズファンで推理するのがとても好きなんだよ！」

コナンがさりげなく世良に伝える。

沖矢の話を聞いて、園子ははっとしたように蘭の顔を見た。

「そーいえば今朝、わたし達が見た遺体も仕事仲間のおじさんが揺すってたわよね？」

「うん…もしかしたらあの遺体も少し動いてたかも…」

「だったら警察の人に聞いてみれば？」

コナンは蘭たちに向かってそう提案した。

「蘭姉ちゃんが通報してやって来たの高木刑事だったんでしょ？　何か教えてくれるかもよ？」

さっそく、蘭は高木刑事の携帯に電話して、事件について聞いてみることにした。

『ああ…今朝のあの遺体かい？　確か現場の近くに住んでる高市勲さんって人だったと思うけど…。あの後、遺体がどうなったかはわからないよ…。あれは窃盗事件って事になって、捜査三課に回っちゃったから…』

「せ、窃盗!?　殺人じゃないんですか!?」

高木刑事の言葉を聞き、蘭は驚いて聞き返した。

横で聞いていた世良は、蘭が持っていた携帯電話を奪い取ると電話の向こうの高木刑事を怒鳴りつけた。

「おい、ふざけんな!!　あれのどこが窃盗事件なんだよ!?」

知らない女性にすごい剣幕で怒鳴られて、高木刑事は戸惑っているようだった。

『えーっと君は…？』

「蘭君と一緒に現場にいた世良だよ!!」

『あ、ああ…女子高生探偵の…』

世良は怒りが収まらず、携帯電話に向かってなおも怒鳴り続けた。

「あんたも見ただろ!? あの『死』の血文字!!」

『そ、そりゃあ僕も思ったよ…これは猟奇殺人じゃないかって…でも、君達が学校へ向かった後でやって来た目暮警部があの血文字を見るなり…「こいつは窃盗だろう…」――って…。実際、あの遺体から財布は見つからなかったし…』

「でもビールは買ってただろ？」

世良は必死だった。このまま窃盗で片付けられては、猟奇殺人犯が野放しになってしまうことになる。

「家が近くならビール代だけ握って買いに来てたかもしれないじゃないか!!」

『あ、ああ…僕もそうは思ったけど…あ、ちなみに死因は君が最初に言ってた通り、肝硬変による静脈瘤破裂だったらしいよ…』

その時、電話の向こうで『おーい高木君！ 聞き込みに行くぞ！』と目暮警部が呼ぶのが聞こえた。

『あ、はい！』

高木刑事は慌てて返事をすると、『じゃあそういう事だから悪いね…』と言い残して、ブツと電話を切ってしまった。

「あ、おい!?」

世良が慌てて引き止めようとするが、電話はすでに切れていてツーツーと話中音が聞こえるばかりだ。

警察はこの事件を窃盗として片付けることにしたらしい。現場には「死」の血文字が残っていたというのに、何故なのだろう。蘭たちは額をつき合わせて考え込んでしまった。

「変だよね？　確か10年前の事件も目暮警部が担当してたみたいだから、連続殺人って思ってもおかしくないのに…」

蘭がつぶやくのを聞いて、コナンは（確かにそうだ…）と同調した。

（あの血文字は目暮警部もしっかり見てたはず…なのに何で？　それにあの時、父さん、第一発見者の少年と何か話してたよな？　しかも笑顔で…）

「まさか犯人がわかってるのに警察ぐるみで隠蔽してるんじゃないか？」

世良があごに手を添えながら言うと、園子は驚きのあまり目を見張った。

「そ、それって映画やドラマでよくある…犯人が警察の上層部や政財界の御曹司だから憎たらしいけど手が出せないってヤツね!!」

ヒートアップする園子に、コナンは思わず（オメーも鈴木財閥のお嬢様だろーが…）と突っ込みを入れてしまう。

「でもさ…新一のお父さんがそんな理由で事件から手を引くとは思えないけど…」

蘭に言われ、園子も「そ、それもそうね…」とあっさり自分の説を撤回した。

しばらく黙って聞いていた沖矢が、再び口を挟む。

「だったら相談してみてはいかがですか？　推理好きの君のクラスメートの…金一君に…」

沖矢が誰のことを言っているのかわからず、コナンは（金一？）と眉をひそめた。

蘭は以前、金一という名前の推理好きのクラスメイトがいると沖矢に話したことがあった。

実はそんな名前のクラスメイトはいないのだが……。

「あ、そ、そうですね…」

あわあわとごまかそうとする蘭に、世良が「何言ってんだよ？」と聞いた。

「事件の事、相談するなら工藤新一君だろ？　高校生探偵で君の彼氏なんだから！　今は何かの事件を追ってて、この家を空けてるみたいだけどな！」

「ほ――…この家の家主はあの高校生探偵でしたか…」

沖矢の口ぶりは、まるで初耳だと言わんばかりだ。世良は疑うように沖矢を見た。

「まさかあんた知らずに住んでたのか？」

「ええ…ここに住んでいた新一君は、何の取柄もないただの高校生だと蘭さんから聞かされていましたし…それに…風の噂で高校生探偵の工藤新一は、事件の捜査中に命を落として…謎解きの舞台から消えたと聞いていましたから…」

「そ、そんな噂になってるんですか!?」

蘭は物騒な噂にギョッとして聞き返した。命を落としたどころか、新一とはついさっきもメールのやり取りをしたばかりだ。

「ええ…なので君達の会話に度々出て来る新一君とは別人だと…」

「死んでるわけないだろ？　ボクは二度も彼と同じ事件にかかわってるんだからさ！　二度とも電話だったけど…」

そう言うと、世良は腰に手を当てて「だよな？　コナン君！」とコナンをのぞき込んだ。

「う、うん…そだね…」

コナンは歯切れ悪くうなずいた。どうも世良は、コナンと新一との関係性についてしつこく探ろうとしているような気がする。

「では、金一というのは？」

沖矢が改めて尋ねると、蘭は困ったように顔を赤らめた。

「新一が昴さんにあまり自分の事を話すなと言ってたのでつい…」

事情を説明して、「ご、ごめんなさい…」と丁寧に詫びる。

「でも何で死んだなんて噂になってるんだろーねぇ？」

「きっといつも事件の関係者に…自分がかかわった事を伏せるようにしつこく言ってるからじゃない？」

園子に不可解そうに聞かれ、蘭はそう予想した。それから、あごに手を当てて「何か追ってる事件の犯人に警戒されない為っぽいけど…」と言い添える。

「あやつは敵の城に潜伏してる忍者かってーの！」

園子があきれたように突っ込み、沖矢はその言葉に反応して（忍者…）と考え込んだ。

「じゃあ今から電話してみるのはどうだ？　ボクも彼の推理聞きたいし…」

世良の提案に、今度はコナンが慌ててしまった。これ以上世良の前で新一の声を出すのは避けたい。

蘭も新一に電話をするのは気が進まないようだ。先ほどメールをしたばかりだし、これまで園子に散々ひやかされているので、この場で新一とやり取りをするのは恥ずかしいらしい。

「あ、で、でも…事件の概要は夕方メールで伝えたし…」

赤面しながらそう言うが、世良は「でもさ」と食い下がった。

「警察が窃盗事件にしようとしてる事はまだ話してないだろ？」

「そ、そうだけど…」

「それに蘭の生声で話さなきゃダメじゃない…。ついでに蘭から新一君に告り返すんだから♡」

園子から想定外のことを言われ、蘭は「えーーっ!?」と大口を開けた。

蘭が新一に告り返すかもしれない――それを聞いたコナンは、「ボ、ボクちょっとトイレ！」と大慌てでトイレへと走った。(やっべェ～マジかよ!?)と、心の中は大慌てだ。駆けていくコナンの姿を、沖矢が「……」と無言で見つめ、世良も横目で見送った。

「ホラ早くゥ♡」

園子が蘭を急かすそばで、沖矢がふいに口を挟んだ。

「あ、彼に電話するなら…一言添えてくれませんか？」

「え？」

確かに、いつまでも告白の返事を引っ張っているのはよくないだろう。

蘭は勇気を出して、新一に電話をかけることにした。

「あ、し、新一？　わ、わたし…蘭だけど…い、今電話大丈夫？」

『あ、ああ…な、何だよ？』

コナンはトイレに籠り、蝶ネクタイ型変声機で新一の声を出しながら蘭からの電話を受けていた。コナンも蘭以上に緊張して、すっかりぎこちない口調になってしまっているのだが、蘭は気づかない。二人とも、今はそれどころではないのだ。

『け、今朝オメーが見た事件の事なら、さっき眼鏡のボウズからメールが届いたよ…。警察が窃盗で処理しようとしてるって…』

「そ、そう…」

うなずくと、蘭はためらいながら続けた。

「そ、それとは別の…あ、あの事なんだけど…」

『あ、あの事？』

恥ずかしくて蘭は頭が沸騰しそうだった。それなのに、園子が顔を近づけて「言っちゃえー…好きって…」と追い打ちをかけてくる。

園子の声は電話の向こうにも聞こえたらしく、『な、何だよ？　あの事って…』と新一に聞き返されてしまった。

「あ、だから…」

口ごもる蘭に、園子が「好き好き好き好き好き好き、だーいちゅき♡」と、余計な茶々を入れてくる。

「す…好…」

蘭は勇気をふりしぼった――。

「昴さんが!!」

てっきり告白されると思っていたコナンは「へ？」と拍子抜けした。園子も「はい？」とあきれている。

「す、昴さんが言ってたの！　新一はまるで忍…霧隠才蔵だって！　そう言っといてくれって…」

蘭は告白をあきらめたのか、完全に話題を逸らしてしまった。

(霧隠才蔵？)

コナンは不思議に思って考え込んだ。沖矢はどういうつもりで、そんなメッセージを伝えてきたのだろう。

「ああ…姿を隠してるからか？」

世良が聞き、蘭が「う、うん！　多分…」とうなずいた。

「でも何で今その話？」

園子がシラけて突っ込みを入れる。

コナンは電話を通話中にしたまま考え込んだ。

(霧隠才蔵っつったら真田十勇士の1人だったよな？　確か伊賀者で真田幸村に仕えたと講談で伝わってる…架空の忍者…。待てよ…真田幸村…)

真田幸村にまつわるものを、順番に連想してみる。

(真田丸…真田紐…真田…)

頭の中に、真田家の旗が思い浮かんだ。

(真田!!)

『そうか、わかったぜ事件の真相が!!』

コナンはそう言って、トイレからいきおいよく出た。

現場に残された、『死』の文字の謎が解けたのだ。


「え？」

唖然とする蘭に、コナンは早口で言った。

「今すぐ今朝の現場に行ってくれ!!　オレの推理通りならピッタリはまるはずだから!!」

廊下を走っていくコナンを、物陰に隠れて見守る人物がいた。

沖矢だ。

(なるほど…そういう事か…)

沖矢は一人納得すると、怪しげに微笑した。


今すぐ今朝の現場に行ってくれ――。

急にそんなことを言われても、蘭には訳がわからない。

「ちょっと新一？　どういう事!?」

電話に向かって聞き返すが、新一の反応はない。「新一？　新一!?」と何度も呼びかけるが、電話口からはツーツーと話中音が聞こえてくる。

「ウソ…電話切れてる…」

「え〜〜〜？　まだ蘭が告り返してないのに〜!?」

園子は事件より蘭と新一の恋の行方を気にしている。

「んで？　何て言ってたんだ？　工藤君…」

世良に聞かれ、蘭はあたふたと新一に言われた内容を説明した。

「事件の真相がわかったから今すぐ今朝の現場に向かってくれって…。新一の推理通りならピッタリはまるはずって言ってたけど…」

「だったら10年前、彼の父、工藤優作がサジを投げたっていう事件の真相も…わかったのかもな…」

世良の言葉に、「サジを投げたんじゃないよ…」とコナンが口を挟んだ。

「わかってたのにみんなに話さなかったんだって、新一兄ちゃんが言ってたよ！」

「コ、コナン君？　し、新一と話したの？　わたしさっきまで新一と電話してたけど？」

「あ、だからその電話の後、ホントにさっきメールで…」

蘭に聞かれ、コナンはしどろもどろに説明した。

「じゃあ蘭にそう言えばいいのに…」

園子があきれたようにボヤく。苦しい説明だが、どうやら蘭と園子には怪しまれずに済んだようだ。と——、

「ん？　コナン君、スマホに蝶ネクタイつけてるのか？」

ポケットに突っ込んだ携帯電話に蝶ネクタイ型変声機がついているのを、世良にめざとく見つけられてしまった。

（やべ…変声機外すの忘れてた…）

「こ、こーいうの今、学校で流行っててさ…」

苦しい言い訳でごまかそうとするコナンに、「とにかく…」と沖矢が背後から声をかけた。

「現場に行けば彼の推理の正否が確かめられるのなら…行かない手はない…」

低い声で言い、かがみ込んでコナンの顔をのぞき込みながら続ける。

「そうでしょ？　高校生探偵の工藤新一君…」

コナンがギクリと身体をすくませる。

新一＝コナンだと、蘭たちの目の前でバラされてしまうのかと思ったが、沖矢はしれっと、

「…が、そう言っているんですから…」

と続けた。

「そ、そうね、行ってみよ！　蘭！」

「う、うん！」

蘭と園子が小走りにダイニングを出ていく。

「ホラ、コナン君も行くよ！　工藤君に推理のメールもらったんだろ？」

世良にうながされ、固まっていたコナンもようやく「あ、うん…」と動き出した。

先ほどの沖矢の言動は、まるでコナン＝新一だと知っていてカマをかけたかのようだ。いったい沖矢昴は何者なのだろう——？


蘭たちはコナンと共に今朝の現場へと急いだ。

現場はすでに片付けられていて、付近に警察関係者らしき人間の姿はなかった。

「思った通り…警官1人もいないよ…。マジで窃盗事件だと見切ってこの現場から撤収しちやったみたいだな…」

そう言うと、世良は自動販売機の前にかがみ込んだ。

「でも普通、死体があってその死体の前に明らかにその死体が書いたと思えない…こんな『死』の血文字が残ってたら…殺人事件だと疑っても不思議じゃないのに…」

地面には、今朝見た「死」の文字がまだ残っていた。乾いたままこびりついているようだ。

「蘭姉ちゃん、お財布持ってる？」

コナンが聞くと蘭は戸惑いながらも「え、ええ…」とうなずいた。近くにあるのはお酒の自動販売機だけだというのに、子供のコナンがいったい何を買うというのだろう？

「ちょっ…ちょっとアンタ、ガキのくせにビールとか買う気⁉」

園子ににらみつけられ、コナンは「違うよ…」と苦笑いで否定した。

「新一兄ちゃんのメールに書いてあったんだ！」

コナンは蘭から財布を受け取ると中から小銭を何枚か取り出し、あの「死」の血文字の上に並べた。

「こうやって血の文字に小銭を並べると…ホラ、ピッタリはまったよ？」

見るとコナンの言う通り、それぞれの小銭が「死」という血文字の余白部分にきれいにはまっている。大きさまでぴったりだ。

「ウソ…どうして？」

「これは人が書いた字じゃなく、こんな風に小銭が散らばった上から血が落ちて、偶然こうなったんだろうってさ！」

目をしばたたく蘭に、コナンが説明する。

しかし園子は納得いっていない表情で、「死」という文字の中央を指さした。カタカナの「タ」と「ヒ」に似た部分の隙間にあたる部分だ。

「で、でもその細長い隙間とかはどうなのよ？　勝手に血がそこを避けたっていうわけ？」

「多分そこにはタバコが落ちてたんだよ…」

園子の疑問に答えたのは、世良だった。

「あのタバコ血塗れだったし…それに、小銭が入っていた財布が小銭を囲むように落ちたとしたら…この死の文字はできそうだな…」

二つ折りの財布の片側が、「死」という文字の一画目の横棒にちょうど沿うような形で落ちていたとしたら、確かにこのような図形が出来上がるだろう。

「つまり今朝ボク達が遺体で見つけたおじさんは…昨夜ここに酒を買いに来たけど…肝硬変による静脈瘤破裂で吐血してうずくまり…その時、落とした財布や小銭やタバコの上に口から垂れた血が落ちて…後で通りがかった誰かが小銭と財布を盗ってってたから、この血文字だけ残ったってわけか…」

世良が推理をまとめるが、園子は「でも」と反論した。

「お金を盗ってったその誰かが殺したって事はないの？」

「ないと思うよ！　血が乾いてから小銭や財布を取らないと、こんなにくっきりした血文字は残らないから…」

血の上に落ちた小銭や財布は、発見者の男性二人が遺体を揺さぶった時にズレたのだろう。

「じゃあ窃盗事件で合ってたんだね！」

蘭がほっとしたように言い、世良も「ああ！」と力強くうなずく。

その時、蘭たちの様子を物陰から「………」とうかがう三人の男たちがいた。男たちはいずれも人相が悪く、そろいの黒いキャップをかぶっている。

園子はもちろん、蘭や世良、そしてコナンも、男たちの視線には気がついていないようだ。

「でも君！　よく気づいたな!!」

「き、気づいたのボクじゃなくて新一兄ちゃんだよ！　昴さんの一言でピーンと来たんだって！」

世良がまるでコナンが自分で謎を解いたかのようなほめ方をするので、コナンは慌てて否定した。

「ああ…新一に伝えてくれって言ってた…『君はまるで忍…霧隠才蔵だ』ってあの言葉ね！」

蘭が言い、園子は眉をしかめながらコナンに聞いた。

「じゃあひょっとして、これって忍者がよく使ってた血文字とか？」

「違うよ！　霧隠才蔵は真田十勇士の1人！　真田家の旗印っていえば…六文銭でしょ？」

旗印とは、戦場で目印になるよう旗に描いておくマークや文字のこと。そして、真田家の旗印は、真ん中に四角い穴の開いた小銭を六つ配した『六文銭』と呼ばれる図形なのだ。

「だからわかったんだ！　この血文字は書いたんじゃなく、六つの丸い小銭があったから出来た形だって…」

「へぇー！」

世良に大げさに感心され、また余計なことを言われる前にコナンは慌てて「も、もちろん新一兄ちゃんがね！」と付け足した。

これで、今朝の現場に「死」の文字が残っていた理由は解明された。

「でも、10年前の事件は事故死…保育園の園長が公園の石畳につまずいて転んで…その時抱えてた金魚鉢が割れて、胸に刺さって亡くなったって事になってるけど…あれも実は窃盗事件だったってわけ？」

園子が言うと、蘭が即座に「でも」と否定した。

「10年前の現場には遺体の第一発見者の少年がお供えした公園の花はあったけど、タバコなんてなかったよ？　財布が盗られてたなんて話も新一、してなかったし…」

「じゃあ10年前のはやっぱり殺人…」

蘭と園子は顔を見合わせたが、

「いや…その事件こそ六文銭だったんだよ！」

世良に冷静に指摘され、二人とも「え？」と声をそろえた。

「ホラ、第一発見者の西村亮佑って少年…園長が公園で倒れて動かないのをその子が見つけて亡くなったと思い、花と一緒に遺体のそばにお供えしたのさ！　三途の川の渡し賃である六文銭をね!!」

「さ、三途の川って…」

「5歳の園児だよ？」

蘭も園子も釈然としていない表情だが、世良は「でも、お寺の子だったんだろ？」と冷静に聞き返した。

「親に聞かされてたって事もあるんじゃないか？　亡くなった人に六文銭を持たせないと…三途の川のほとりにいる奪衣婆に衣服を剥ぎ取られて地獄に落ちてしまうってね！　恐らくその話を聞いていた少年は…園長の遺体のそばに六文銭を供えて…それを誰かに盗られないように花で囲って隠したんだ…」

「で、でもさ…いくらお寺の子だとしても、六文銭なんて持ち歩いてるかなぁ？」

蘭が控えめに聞く。

「なかったからよく似た別の物で代用したんだよ！」

「べ、別の物？」

「ホラ、その子が写真の中で持ってただろ？」

世良にヒントを出され、蘭と園子は同時にピンときた。

「あ！」

「穴空きドロップ!!」

資料にあった写真の亮佑は、ドロップ缶を握りしめていた。そして、そのドロップは真ん中に丸い穴の開いた形をしていたのだ。

「そう…それを六文銭の代わりに遺体の左手のそばに置いて花で隠したけど…親指の関節の隙間から遺体から流れ出た血が浸入し…偶然にもあんな不吉な血文字が出来てしまったってわけさ！」

写真に写っていた花は、供えられていたというより地面に散らばっているようだった。散らばった花の茎がちょうど直角にまじわり、その内側に血が溜まったのだろう。

「だから遺体を動かすまで死の血文字に気づかなかったんだよ！　動かす前は血文字が左手と一体化してたから…写真じゃあ左手の下には血はないのに、手の平や指に血が付いてたっていうしね！」

「そっか！」

園子がはっと気がついて言う。

「遺体の親指がタバコの代わりにあの細長い隙間を作ったのね！」

「で、でも写真にはドロップなんて写ってなかったけど…」と、蘭。

「その少年が公園で飼ってた犬がくわえて持ってってたんだよ！　花を蹴散らして…あの犬、写真じゃ首輪してなかったし…エサの皿にドロップが3つ入ってたしな！」

世良に言われ、蘭と園子は、資料にあった犬の写真を思い出した。確かに皿の上には穴開きドロップが置いてあったはずだ。

「だったら何で新一君のお父さんはその真相を世間に公表しなかったの？」

「あの血文字で猟奇殺人の始まりだって大騒ぎになってしまったからさ！　取りようによっては子供の不謹慎なイタズラだと誤解され、それが報道されたら少年がバッシングを受け兼ねない！　だからあえて沈黙する事にしたって所かな？」

園子の疑問に答えると、世良はさらに推理を続けた。

「まぁ、今回の血文字を見てすぐに丸い小銭があった事を、目暮警部が見抜いた所を見ると警部には真相を話してたようだけど…」

「警部にだけじゃないよ…」

コナンが携帯電話に表示されたメールを見ながら言う。

「え？」

と、顔を向けた蘭に、コナンはゆっくりと説明した。

「あの時父さん、その少年と話してたんだ…笑顔で…。だから多分あの時父さんは…」

コナンは亮佑と話していた優作がいったいどんな会話をしていたのかと想像した。

――君のお陰で園長先生は天国に行けたようだよ！

——ホント？

——でも今度お供えする時は、親に相談してからにするといい…。

——うんわかった！

——それと、今回の事は誰にも内緒だよ？　三途の川の奪衣婆をドロップで虫歯にしたのが君だと知れたら困るだろ？

「…とか何とか適当な事言ってたんじゃないかなぁ…。まぁ、オレ的には父さんが事件をバックレたわけじゃないとわかってホッとした…」

　そこまで言いかけたところで、コナンは自分の方を凝視する蘭の視線に気が付いて「——って…」と慌てて言葉を切った。

　しかし、蘭はガバッとコナンの身体をつかむと、ゆっくりと聞いた。

「コ、コナン君…だよね？」

　優作について語るコナンの口ぶりが昔の新一と重なり、まるでコナンが新一であるかのように思えてしまったのだ。

　蘭にまっすぐに見つめられ、コナンは気おされつつも「う…うん…」と何とかうなずいて、付け加えた。

「あ、今のは新一兄ちゃんのメールを読んだだけで…」

「もォ~ビックリさせないでよ！　ただでさえ顔が似てるんだから！」

蘭の肩からふっと力が抜ける。コナンは慌てて、「ご、ごめんなさい…」と謝ったが、世良が二人のやり取りを「……」と無言で見つめていることには気づかなかった。

「でも残念だよね？　せっかく今回の事件解けたのに窃盗犯がわからないなんて…」

園子が悔しそうに言う。

世良はハンカチ越しに持った小銭を、園子に見せた。

「手掛かりならその自販機の下から血の付いた10円玉を見つけたよ！　きっと犯人が小銭を拾った時に取り損ねて自販機の下に入ったんだろうけど…これに付いた指紋に前科があったとしたら…」

そこまで言ったところで、人相の悪い男三人が、会話に割り込んできた。

「暴行…傷害…恐喝…3人まとめて前科三犯だ…」

先ほどから、物陰に隠れて蘭たちの様子をうかがっていた、あの三人組だ。

「おっと、窃盗も入れると四犯になっちまう…」

「だからさー、返してくれねぇかなぁ？」

「10円ぐらいいいだろ？」

男たちが下品な笑みを浮かべて口々に言う。どうやら彼らが、ここで亡くなった高市勲の遺体から財布を盗んだ犯人のようだ。

「後で3人まとめてかわいがってやるからよォ…」

男の中の一人がニヤつきながら蘭たちの方へ近づこうとする。

「OK…受け取りな!!」

低い声で言うと、世良は手に持っていた十円玉をピンと真上にはじいた。十円玉はくるくると回転しながら垂直に飛んでいく。

「お、おい…」

「バカ!?」

男たちは慌てふためいて十円玉を目で追いかけたが、すぐに見失ってしまった。

「何しやがん…」

男の一人が、激高して世良に襲いかかる。しかし世良は武術の達人だ。殴りかかろうとするも、世良に難なくかわされてしまい、さらにあごにするどいアッパーをくらって「だ!?」と声を上げながら情けなく気絶してしまった。

「ガキがァ!!」

もう一人の男が、世良の背後から鉄棒を握りしめて襲いかかる。世良は男の動きを余裕でとらえ、すでに反応していたが、それより早く蘭が男の頭めがけて回し蹴りを放った。

パゴ!!

蘭の蹴り技をまともに食らい、二人目の男もあえなく気絶した。

残る男は、一人だけだが――。

「きゃあああ!」

園子が突然悲鳴を上げた。

振り返ると、三人目の男が園子の身体を後ろから押さえつけている。男はナイフを握りしめて園子に向けている。

「て、てめェらふざけん…」

男が言いかけたところで、前方からサッカーボールがものすごいスピードで飛んできた。驚いて、「な!?」と慌てる男のあごをボールが直撃する。男はそのまま仰向けに倒れて気絶した。

世良が最初に投げた十円玉が、くるくると回転しながら落ちてくる。世良はそれをパシッ

と受け止めて、

「Case closed!（いっちょあがり！）」

と少年のような笑顔を見せた。

「あのボール、コナン君？」

蘭がコナンの方を振り返って聞く。キックの反動でしりもちをついていたコナンは、起き上がりながら「う、うん…」と苦笑いして答えた。


三人の男たちは駆けつけた警察に連行されていった。現場に居合わせた蘭たちも事情聴取のため一緒に警察に行かなくてはいけないのだが、世良はこのまま家に帰るという。

蘭は戸惑って「え？　世良さん警察に行かないの？」と確認した。

「悪いけど事情聴取は君らだけで受けてくれ…ボクは外せない用があるから…」

そう言い残すと、世良はそのまま歩いていってしまう。

「う、うん…」

うなずいて世良を見送った蘭だが、ふと隣にいるコナンが怪我をしていることに気がついた。

「ちょっと！　ヒジの所スリむいてるじゃない！」

「さっき転んだから…」

蘭はカバンから絆創膏を出して、コナンのヒジに貼った。蘭に心配されるコナンはどことなく嬉しそうだ。

世良は立ち止まり、そんな二人のやり取りを「……」と無言で見つめた。

（やっぱボク…悪い子だな…）

そうつぶやいた世良の目には、なぜか涙がにじんでいたのだった。

And the mystery deepen...

Shogakukan Junior Bunko 

★小学館ジュニア文庫★
名探偵コナン 世良真純セレクション

2020年11月 4 日　初版第 1 刷発行

著者／酒井 匙
原作・イラスト／青山剛昌

発行人／野村敦司
編集人／今村愛子
編集／油井 悠

発行所／株式会社　小学館
〒101-8001　東京都千代田区一ツ橋２－３－１
電話／編集　03-3230-5105
販売　03-5281-3555

印刷・製本／中央精版印刷株式会社

デザイン／石沢将人＋ベイブリッジ・スタジオ

Printed in Japan　ISBN 978-4-09-231348-4